LORG EILE
FINAL CALL

LORG EILE
FINAL CALL

NEW AND SELECTED POEMS IN ENGLISH, IRISH
AND SCOTTISH GAELIC WITH INTERTONGUINGS

RODY GORMAN

Francis
Boutle
Publishers

First published by
Francis Boutle Publishers
272 Alexandra Park Road
London N22 7BG
Tel 020 8889 8087
Email: info@francisboutle.co.uk
www.francisboutle.co.uk

ISBN 978 1 7398955 3 2

Introduction

This collection of poems in Irish and Scottish Gaelic is essentially an English collection. By this I mean that it brings together versions in English of Gaelic pieces, some dating back to over thirty years ago, with which I am reasonably satisfied – at present, at least – as both originating and receiving texts. There are a few pieces in here in English only – such as 'Strome Ferry (No Ferry)' and '*Déjà Vécu*' – but generally speaking I am unhappy with my own previous versions in English of original Gaelic pieces – many of which were produced out of necessity for what publishers required as bilingual publications – and also with my attempts at English poems. The English versions here, however, are an attempt at poems with similar merit to the poems they translate, although often with a quite different aesthetic in terms of elements such as sound, allusion, metre and rhythm, rhyme, line, word association and so on. Many of the English versions are revisions of earlier published texts and many others are published here for the first time, deriving, as they do, from monolingual collections in either form of Gaelic.

I started writing in earnest in Scottish Gaelic and that language is, I think, the one in which I am still most comfortable, although I have repossessed, as it were, my writing in Irish Gaelic gradually over the years.

I have adopted a couple of translation strategies over the years. Pre-eminent among these is 'intertonguing', literal translation of 'eadar-theangachadh', Scottish Gaelic for 'translation', a non-normative, idiosyncratic – if not extreme – translation praxis from a fresh perspective. It is an experimental form which I have developed for the purpose of translating poetry from Irish and Scottish Gaelic which compensates for – in my opinion – inadequate representation in the receiving language, in as full a translation as possible without resorting to paratextual material such as glosses or explication or thick translation. In intertonguing, the synonyms, homonyms and associations of a word in the original Gaelic are represented in a composite word in English. This practice is most prominent in the poems from *Beartan Briste* (2011) and the uncollected poems at the end of this collection, the longer pieces of which relate to COVID-19. The shorter pieces in that section relate to Sleat, where I live, and are in the form of rhyming tercets which I also employ in *Cuala* (2021).

Rather less prominent as a translation praxis is *Lingua gadelica*, a synthetic and macaronic form of language which I have devised that combines elements of both Scottish and Irish Gaelic in a single (panGaelic) text. I first employed it in book form in *Tóithín ag Tláithínteacht* (2004) and subsequently in *An Duilleog agus An Crotal* (2004) and *Flora From Lusitania* (2005).

There are also occasional poems, such as 'Boy John' which are presented in English, Irish and Scottish Gaelic.

This collection is partial inasmuch as it is limited to poems which, in my opinion, are effective in both originating and receiving language, which thereby precludes a lot of published material. Nor does it include material from the partly published lengthy sequence *Sweeney: An Intertonguing*, on which I have been working for many years. Pieces for music are not included either, nor are translations into Gaelic, apart from the versions of classical haiku in *Ceangailte* (2011), rendered into the English from which they derive in recursive or round-trip translations.

Rody Gorman
Cruard, Skye 2022

Contents

2

5

**Ri Linn Glasadh an t-Sluaigh/
Over a Hundred Days of Solitude in the Highlands
(2021)**

FROM FAX (1996)

Ri Taobh Linne Shlèite

Choisich mi san uisge
Ri taobh Linne Shlèite
Nuair a dh'fhalbh thu san oidhche

'S dh'fhidir mi 'n t-uisge-stiùireach
Is gun lorg idir air an t-soitheach
A dh'fhag thall bhuam e,

Sin agus a' ghealach
A' tuiteam an cridhe na beinne,
Fann, sgàinte.

Beside the Sound of Sleat

I walked out in the rain
Beside the Sound of Sleat
After you left at night

And I noticed a wake
But not a trace
Of the vessel that left it over there

And the old moon
Falling in the heart of the mountain,
Faint and rent.

An Sneachda mun Chuiltheann

Tha fuachd mu do chridhe
Mar an sneachda mun Chuilitheann
Ach gu bheil e air tòiseachadh
Air leaghadh is leaghadh
A-nis is a' chiad là den Ghiblean ann
Agus tha dòchas agam
Gum fàs na clachan
A tha na bhun
'S iad a' tuiteam beag air bheag
Far aodann sgaoilte nan creag
Nan aon bheum
A bhuaileas air feadh na beinne.

The Snow in the Cuilinn

Your heart is cold
Like the snow in the Cuilinn
Except that it's started
Bit by bit to melt
Now that April's here
And I hope the rocks at its base
Which are falling bit by bit
From the loosened rock-face
Become an explosion of stone
Resounding through the mountain.

Scrabble

Chaochail caraid aig m' athair
A' cluich Scrabble còmhla ris a-raoir

Agus am bòrd shìos fodha gu bhith làn
Agus càch air dèanamh air na plaidichean

Agus an aon bheàrn
Air fhàgail shìos air a' bhòrd

Agus dìreach aige na bha a dhìth
Gus a lìonadh

Agus an uair sin
Gun bhìog aige 's gun dùrd.

Scrabble

A friend of my father died
Playing Scrabble with him last night

Just as the board had been filled almost
And everyone else away to bed

And with just one space left on the board
That was all he needed

And after that, not a word,
Not a sound.

Blas a' Chrogain

Tha cuimhn' agam nuair a bha mi beag
Air na bh' agam de thogail
Ri dìreach an aon mhealbhag
A bha seo san robh mo shùil
Is i mun fhròg os mo chionn
An tasgadh ann an crogan
'S a bha mi air goid nan smaoinichinn
Gum faighinn às leis
Ach a chaidh fhàgail an dèidh sin
Gun fhosgladh fad aon mhìos
Agus mar a dh'fhaighnichinn de mo mhàthair
Am faod mi a gabhail an-diugh?
'S tu nach fhaod, a bhalgair!

Agus mu dheireadh
Thall 's a-bhos aon oidhche
'S ann a thog mo mhàthair a-nuas e
Nuair a bha sinn cruinn mun bhòrd
Is dh'fhosgail i e (an crogan)
Air beulaibh ar sùilean
'S a' mhealbhag na bhroinn cho grod ri grod.

Melon

Mind when I was eight years old
How much we looked forward
To that preserve jar of melon

Which we'd have stolen
If we thought
We could get away with it?

But there it was, left
Unopened a whole month at least
And how I used ask every day:

Can we have it today, Mammy?
Certainly not!
And then at last that night

We take it down
From the shelf. And open it
Before our eyes.

And there it is –
What would you expect? –
Past its use-by date, rotten.

Feasgar Didòmhnaich

Dh'fhalbh thu feasgar Didòmhnaich
Agus na h-eathraichean air chruaidh

'S na dòbhrain air dol air ais
Dhan chairidh aca sa chaolas

Agus mi a' siubhal a' chalaidh leis an acras
Agus na taighean-seinnse dùinte,

San uisge,
San dorchadas.

Sunday Afternoon

You left on Sunday afternoon
And the boats were moored in the bay

And the otters had all gone back
To the narrows and their holt

As I walked by the harbour, hungry,
And the bars all shut

In the rain,
In the dark.

Boinneagan-uisge

Chunnaic mi bhuam boinneagan-uisge
'S iad a' sileadh far bac-mòine
'S mi a' siubhal bog drùidhte
Fo throm trom na gaoithe
'S thug iad gu mo chuimhne
Mi fhìn mar mhac-na-cìche
'S mo mhàthair na muime
Romham letheach rùisgte
Gam leigeil far a sìne
'S an uair sin an dìle.

Waterdrops

I saw water dripping
Off a peat-bank as I walked
Through the peat-bog, soaked
In the brutal wind
And they reminded me
Of when I was a nursling
And my mother a wet-nurse,
Half-naked,
Letting me down from her nipple
And then the deluge.

Ri Taobh a' Chuain a Tuath

Choisich mi ri taobh an rathaid
Ri taobh a' Chuain a Tuath

Leam fhìn anns an dorchadas
Is tu fhèin air do chur air dhearmad

Agus an làn air traoghadh
Agus ceò searach mun chuan

A' cur às do lèirsinn
Duine na sheargadh-aigne

'S, gun fhiosta, sgap e
'S nochd thu fhèin mum aire

Agus an uair sin leus
Bho chrann fad' air fàire.

Beside the North Sea

I went for a walk
Beside the North Sea on my tod

In the dark,
Having forgotten you, and the tide

Having gone out
And a haar about the bay

Impairing vision
Like old age

And it scattered suddenly
And you appeared in my mind

And then a light
From a rig on the horizon.

Deich Bliadhna

Tha mise 's an tè a th' ann
A-staigh leinn fhèin a-nochd
A' comharrachadh deich bliadhna de phòsadh

Agus tha a' chlann
San lobhta-làir shìos nan laighe
'S gun de dh'fhuaim air feadh an taighe
Ach an dithis againn a' gabhail air ar cuid.

Tha seo math fhèin –
(Mise fom fhiacaill) – *'s e goulash a th' ann, an e?*

Ten Years

Myself and the wife
Are in at home tonight
Celebrating our tenth wedding anniversary

And the young ones
Are sleeping on the ground-floor below us
And there isn't a noise
About the house,
Just the two of us eating away.

This is nice –
(Me barely audible) – *it's goulash, is it?*

Donnchadh Òg

A h-uile mac madainn
Bidh mi a' dol seachad
Air an Donnchadh Òg seo leis fhèin
A' feitheamh ris a' bhus ri ceann an rathaid

A bheir dhan sgoil-bhig e
An aon rathad is a bheir e gu mo chuimhne
Làithean m' òige
'S mi a' feitheamh ris a' bhus anns an uisge

'S, ceart gu leòr,
Nuair a nì mi meòrachadh air,
Chan eil cuimhn' agam riamh air fhaicinn
A' gàireachdainn anns a' ghrèin.

Wee Boy

Every single morning
I go past
This wee boy
Waiting for the bus at the road-end

Which brings him to Sleat Primary
The same way it brings to mind
The days of my youth
Waiting for the bus in the rain

And, right enough,
Now that I think of it,
I don't ever recall seeing
Him laughing in the sun.

Oidhche Bhurns

Chaidh mi gu Oidhche Bhurns anns a' chlachan
Is nochd am bàrd fhèin (air muin eich) air a son

An dèidh triall na aonar gu fadalach
Is cha deach a leigeil a-steach ann

Agus neach air choreigin gun aithne
'S e a' cur às a chorp gu dlùth

'S chaidh fhàgail air taobh nan tarragan
Ri còmhradh beag ris fhèin san duibhre.

Burns Night

At a Burns Night in the village
The bard himself turns up for it (on horseback)

After having been travelling alone late
And he's refused entry

As an altogether other type
Is up there spouting away

And he's left on the other side
Of the door, muttering to himself in the dark.

FROM CÙIS-GHAOIL/AFFAIR
(1999)

Nam Chullach-ròin

Sheas thu sa chladach is gheàrr thu fead
Mar gun leigeadh tu fead air na coin
Agus dh'èirich mi far a' chuain
Agus rinn mi air a' mhol sa bhad
Nam chullach-ròin
Agus rud a' cur dragh air a shròin.

Seal-pup

You stood on the shore
And gave a whistle
Like you were whistling
At a dog

And I rose up
Out of the sound
And hightailed
It over to the shore

Like a seal-pup
With something troubling his nose.

Loch

Smaoinich!
Thusa nad loch
Agus reothadh cruaidh air uachdar
Anns an do shnàmh mi rùisgt' uair.

Lake

Imagine!
You a lake
With a hard frost on the surface
I swam naked in once.

Leumadair Bungee

Thug mi leum asam far bile na creige
Gus am faighinn mu sgaoil bhuat fhèin
Agus gun rachadh mo chall.

Ach ciamar a bhiodh comas agam
Air a' chùis is gun agam de dh'uidheam
Ach uidheam leumadair-bungee
'S, ge b' oil lem amhaich
Nach rachadh ach gun tiginn
Air ais dhad ionnsaigh
Nam aon chnap air a' cheann thall?

Bungee Jumper

I jumped from the cliff
In order to be free
From you and bring it all to an end.

But how could I do it
When the only gear I had with me
Was bungee jumper stuff
So that, with the best will in the world,
All I could do was come
Back to where you were
In a heap in the heel of the hunt?

Guth na Caillich

Rinn an dithis againn
Suidhe nar suidheachain
Air beulaibh an telebhisein
'S e gun dath 's gun fhuaim

Agus mi fhìn a' sealltainn
Bhuam ri lasair an teine
'S i a' gabhail 's ag èirigh
'S a' falbh a-mach às an t-sealladh

Is guth na caillich nam chuimhne
'S a' coiseachd a-steach air an doras –
A bhalgairean gun fheum!
'S ann a tha thu air a leigeil bàs!

Her Voice

Tha pair of us
Are sat in our chairs
In front of the TV there
Without sound or colour

And I'm looking at
All the flames in the fire
As they take and rise
And disappear out of sight

And I remember Mother
Appearing at the door –
You useless pair!
You've gone and let it die!

Soitheach ri Taobh na Leapa

An dèidh saothair na h-oidhche,
'S ann a dh'fhàg mi mo chridhe
Gu cùramach ann an soitheach-uisge
Na fhiaclan-brèige
No na shùileagan-suathaidh ri taobh na leapa

'S an uair sin,
'S ann a thill thu fhèin
Gus an do shloig thu na bha na bhroinn
Gun fhiosta
Shìos ann an aon bhalgam slàn.

Swallow

After the business at night,
I went and left my heart
So carefully in a water-jug
Like false teeth or lenses by the bedside

And then you come
Back in and swallow the lot
Without knowing
In one gulp just like that.

26

Cuid Mhic an Aba

Bidh luchd m' eòlais
A' feuchainn ri Cuid Mhic an Aba
A thoirt leotha mar dhuais
Agus cur às do dhamh,
Do bhradan 's do dhithis chearc-fhraoich
Còmhla san aon latha.

Mise, 's ann a tha mi coma cò-aca
Dè dh'èireas às an t-seilg
Fhad 's a thilleas mi ris a' bhothaig
'S tu fhèin agam fhathast nam phoca.

MacNab

Folk I know try to nab
A so-called MacNab
As quarry – stag,
Salmon and brace of grouse
All in one day.

Myself, it's all the same
To me what I get
In the heel of the hunt
As long as I return to the bothy
With you still in the bag.

Fras

Dh'èalaich mi a-steach air do dhoras
Ach an cuirinn thu nad chlisgeadh
Nuair a leumadh tu a-mach às an fhras

Agus thug thu ùine chianail gun nochdadh
Is tharraing mi thugam an sgàilean
Is cha robh sgeul ort air a chùlaibh,
Dìreach an sileadh gun euradh
A' tuiteam na mheall mun leòsan.

Shower

I crept in the door
To give you a fright
When you came out of your shower
And you took an age
And I drew back the curtain
And there was no sign of you behind it,
Just the rain
Chucking it down on the window-pane.

Leacanachadh

Bha mi an sin air bhriodan
A-staigh leam fhìn a' leacanachadh
Dìreach nam laighe
'S gun a bhith nam chadal ann,
A' feitheamh ris an uair a thilleadh tu dham ionnsaigh
Ri balbh na h-oidhche

'S bha mi air m' ais nam phàiste
'S mi a' feitheamh ri Bodach na Nollaige
'S an uair sin bhuail e air m' aire
'S mi nam shìneadh anns an t-sàmhchair
Gum biodh am mùchan san t-seòmar
Anns an robh mi dùinte stobte.

On Tenterhooks

There I was on tenterhooks
At home in bed alone,
Just lying there in the gloom
And waiting for the moment
You came back to me
In the dead of night.

And I was a child
Waiting for Santa Claus
And then it occurs to me
As I'm lying there in the silence
That the chimney in that room
Used to be blocked.

Brathadair

Thàinig mi dhachaigh tràth
’S mi ’n dùil gum faighinn bhuat
Air a’ phost no ’n inneal-fhreagairt
Is cha do chuir mi sgeul no a dhath
’S chuir mi brathadair sìos
Is chuir mi seachad an oidhche
Leam fhìn a’ coimhead an teine
Nam fhàrdaich anns an dorchadas
Ag èirigh romham na dhòchas
Agus an uair sin a’ dol às.

Answering Machine

I came back in early doors
As I thought you might call or leave
Something on the answering machine
But, no, there was no message
And I lit a great big fire
And spent all night sat
Beside it watching it take
On my own in the darkness
As it rose up before me
Like hope and then went out.

An Oidhche Sin

Rinn mi meòrachadh iomadach sin turas
Air an oidhche sin a thug thu às

Nuair a dh'èirich a' ghaoth cho àrd mun dùthaich
Is gun do sheas na craobhan fhèin gun charachadh.

That Night

I've thought so many times
About that night you went away

When the wind got up so strong round the country
The very trees were standing motionless.

FROM **BEALACH GARBH (1999)**

Néal

Bhí tú i do ghrian os mo chionn
A chonaic mé i bhfaiteadh tráth
Go soiléir seal faoi bhéal na hoíche,

Ní go baileach ag tabhairt chun siúil
Ach ag ithe is ag creimeadh
Nó go raibh sí i ndeireadh na preibe
Faoi chlúdach uile go léir
Os mo chomhair amach faoi néal

Agus, ina dhiaidh sin
Aniar, ag glanadh as an spéir.

Cloud

You were the sun above me
That I saw in a flash once,
So bright
For a while at twilight,

Not exactly fading away,
More like
Eating away and eroding
Until eventually
It was covered completely
As a cloud before me

And next thing
Clearing out of the sky.

Crístín

Is cuimhin liom uair
A bheith ag ábhaillí sa ngarraí
Le mo dhearthair
I ndiaidh don teaghlach aistriú soir

Agus gur shróic mé féin crístín mór
Agus gur bhéic mo mháthair:
Éist do bhéal, a chonúis bhradach
Nó cloisfidh Dia do chuid cainte!

Sé féin nach gcloisfidh, ar ndóigh –
Deir mise – *nach bhfuil Dia ann i gcónaí*
Síos an bóthar
Thiar i Muicneach Idir Dhá Sháile!

Curse

I remember larking about
With my brother one occasion
In the garden
After the family had moved east

And I was heard
To utter a fearful curse and mother shouted:
Clean out you mouth, you bastard
Or God will hear what you said!

Of course he won't –
Says I – *sure and isn't God still*
Down there in the west
Somewhere near Ballinakill!

Garraí Shéamais

Seo an láthair a mbíodh ann
An garraí súgartha a bhí againn
Sular chaith tú féin i dtraipisí
Na háilleagáin go léir, a chomrádaí,
Agus a chuir faoi ghlas iad i gciste
Nach n-osclófar go díle
Agus a thóg ina n-áit sraith de thithe
A bhí gan fuinneoga gan doirse
Agus iad crioslaithe le haon fhál amháin
Sa láthair a mbíodh ann
An garraí súgartha a bhí againn.

Jimmy's Field

This is the site
Where our playing field used be
Before you swept all
The toys away, my friend,
And threw them in a kist never to be opened
And built in their place a row
Of houses without a door or a window
Surrounded by just one wall
In the site
Where our playing field used be.

Teach Ceann Tuí

Ba tú an teach ceann tuí
Thar chuan amach in Árainn

Agus ní ceann luachra ach ceann
Seagail nár sheas fiú bliain

Le hais an chinn eile ach b'álainn,
A mhaighdean, is ba bhuí.

Rye

You were that thatched house
Over in Inishmore,

Made not from rushes but rye
And hardly lasting a year

Beside the other
But so beautiful and now

I think of it, yellow, aye,
So yellow.

Cumarsáid

Nach maith a thuigim as do chaint
Go bhfuil muid líofa beirt
I dteanga nach dtuigeann muid i gceart.

Communication

I understand clearly
From what you have to say
That we're fluent, both of us,
In a language neither understands.

FROM *AIR* A' CHARBAD FO THALAMH / ON THE UNDERGROUND (2000)

Meall

Mhothaich mi nach d'rinn thu dearmad
Idir air na solais
Gu lèir is a h-uile càil
Mar sin a chur dheth

'S a-nis feumaidh mi m' aghaidh
A chur air a' mheall nigheadaireachd
A dh'fhàg thu air feadh an làir
Anns an drip gus èaladh air falbh

Agus an *twin-tub* aosta sin thall
A charachadh is a chur air ghleus.

Heap

I see that you never forgot
To turn off all the lights and that
And now I'm just going to have to tackle
That great big heap of dirty
Washing you left all over the place
In the rush to get away
And see if I can't somehow reactivate
That old twin-tub over there.

Bruadar

Chunnaic mi bhuam thu nad bhruadar
Agus tu gam shuathadh

Anns a' chuan aig astar
A' seòladh thugam anns an oidhche

'S gun lorg agam anns a' chladach
Anns a' ghlasadh ach murrag-maidne.

Dream

I saw you in a dream, heading
For my home port

Under a full head of steam
In the dead of night.

And what do I find on the beach in the morning?
Och, just the same old flotsam and jetsam.

Glacadh

Dh'fheuch mi ri do ghlacadh ann an dealbh
Is tu sa bheinn ris a' chliathaich

Is cha do sheall e cò aca
Bha thu ris no leis a' bhruthaich,

Dìreach gun robh mi fhìn às do dhèidh
Gad chall is gad chall fad an ama.

Capture

I tried to capture you in a picture
Climbing in the snow
But it didn't show
If you were in ascent
Or in descent, just
That I was a short distance
Behind you and (I regret to say)
Losing you all the way.

Cuileag-tsetse

Rinn i às.

Rinn is ghabh a slighe
'S rinn damh criothnachadh
An dèidh dhan chuileag-tsetse
Deargadh beag eile chur na chluais
Ri linn bròn an t-samhraidh.

Tstese Fly

She's gone.

A stag shakes itself tormentedly
As another
Wee bugger of a tsetse-fly
Bites his ear
In the heatwave.

Itealan

Chì mi bhuam thu nad itealan
Gu h-àrd os mo chionn
Is cha lèir dhomh bhon taobh shònraichte
Sa bheil mi nam sheasamh air an talamh
Co-dhiù a tha thu teannadh ri laighe
Nad shìneadh air mo bheulaibh
No ri dìreadh is ri teireachdainn
Air ais bhuam dha na sgòthan.

Plane

I see you as a plane
High up there
Approaching a cloud
Above my head:
It's not clear from where
I'm standing on the ground here
Whether you're about
To land and stretch out
In front of me or just
Ascend back out of sight.

Luaidh

'S ann a rinn thu spreadh às a chèile
(No 'n ann às do chèile fhèin)
Gun fhiosta nam làthair air an spot

Agus seo sinn aon fhichead bliadhna nas fhaide
'S iad fhathast a' toirt
Làrach na luaidh' às mo cholainn.

Shrapnel

You exploded in front of me
(Or expolded or exdopled, whatever)
Without so much as a warning call

And here we are some 20 years later
And there they are
Still removing the shrapnel.

Sgàineadh

Seall – mo smuain ort fhathast a' falbh an rathaid
Agus an sgàineadh
Nam fhianais air an sgàilean
Dhan do mhothaich mi 'n toiseach
An-diugh sa mhadainn fhèin
A' dol am faid is am faid.

Crack

Thinking of you driving along
And the crack on the windscreen in front of me
I noticed only this morning
Getting longer and longer all the time.

Reul

Thrèig ar gaol
'S rinn sinn dealachadh ga rèir
Ach 's ann a thug thu dhomh reul
A dh'ainmich thu, gun fhiosta dhomh fhìn,
Air an rud a bh' eadarainn
Gus a chumail air chuimhne
Mus tuiteadh e tron fhànas
A-mach à fianais
Agus nach rachadh
A chumail suas anns an adhar
Is cha d'fhuair mi riamh dalladh dheth
Bho chaidh e às mo lèirsinn
Air falbh air feadh na cruinne
Na aon reul-seachrain.

Star

The affair didn't last
And we spilt
But you gave me a star
Which you named after
The whole business
(I knew none of this)
To commemorate it
Before it fell through the firmament
Out of sight
And so it wouldn't be kept
Up in the air
And not once have I seen that star
Since it went
All over the universe like a comet.

Soitheach Hirteach

Agus a leithid
A spong is a mhuraig is a thàcar
Is a thrabhach is a dh'uighean-sìthein
A' tighinn air tìr leis an t-sruth,
Nan ròd
Is nam brùchd fhèin
Gu h-ìseal mun tràigh
Far a bheil mi a' fuireach,

Cò aig' a tha fios, a ghràidh,
Nach tog thu fhèin ceann
A-rithist là san tiùrr
Ann an soitheach Hirteach
Agus *PLEASEOPEN*
Air a dhrùdhadh air a' chliathaich?

St Kilda Mailboat

With all that
Driftwood and touchwood and sea-spoil
And fairy eggs and seaware
Coming in with the tide
Down by the shore
Where I live,

Who can tell
You won't appear again
Some day down on a high tide
In a St Kilda mailboat
With *PLEASEOPEN*
Scratched on the side?

A' Faireachdainn T' Fhàilidh

Tha mi a' faireachdainn t' fhàilidh
A-rithist a' nochdadh gu ciùin
Gun fhiost' air feadh an àite
'S mi a' sreap ri cabar na beinne:

Dithis chearc-fhraoich air dùsgadh,
Na fèidh an dèidh sin
A' rùsgadh air falbh mar phlathadh cuimhne
Gu h-obann gu dlùth na coille.

Getting Your Whiff

I get your whiff again
Appearing suddenly
And subtly through the air
As I climb the mountain:

A brace of grouse roused
And then the deer
Moving off like a flash of memory
To the densest part of the wood.

Thusa Romham sa Mhachair

Bho àm gu chèile,
Togaidh tu do cheann

Mar bhròg-na-cuthaige
'S aig amannan eile

Nad chluaran
Air neo nad tharraing-air-èiginn.

You on the Machair

Sometimes you appear in front of me
Like a heart'sease
And at other times like a thistle.

Mar Fhiosrachadh

Dìreach mar fhiosrachadh –
Bho chaill mi thu
Tha mi air a bhith aig baile
A' cur seachad na tìde
Ri rannsachadh, mu dheireadh,
À la Recherche du Temps Perdu.

Just to Say

For your information just –
Since I lost you
I've been at home
Spending my time
In a brown study, at last,
With *À la Recherche du Temps Perdu*.

Bodach-ròcais

Tha mi romhad anns an achadh
Nam bhodach-ròcais

Anns an dorchadas
Gun bhad aodaich.

Scarecrow

I stand before you, a scarecrow, right
There in the middle of the field

In the middle of the night,
Bollock-naked.

Cluaran

Ghabh mi grèim ort nad chluaran
An dèidh na fhuair mi de rabhaidhean
'S mi nam phàiste

'S chuir mi 'n cluaran san lìnig nam phòcaid
Eadar mo chridhe
'S mo bhod.

Thistle

I picked you like thistle
For all I was warned
As a child

And put you in the lining of my pocket
Between my heart
And my willie.

Dìreadh

Agus an leathad
A' dol an caisead is an caisead,

Èiridh m' aire
Gu dìreach mar a dh'èireas mo bhod,

Treaghaid
An com na beinne.

Climbing

As the slope of Beinn na Caillich
Gets gradually steeper, hard,

My awareness is heightened
Just like my willie,

A stitch
In the mountain-side.

Mullach an t-Sìthein

Leig leis na th' air fhàgail falbh
Gus an triall mi fhìn 's tu fhèin siar

Is an dèan sinn seasamh thall an sin
Shuas air mullach an t-Sìthein

Gus ainm a thoirt às ùr
Air a h-uile beò 's marbh.

On Top of the Fairy Knoll

Let what's left go to hell
And let's go back instead

And stand over there
On top of the fairy knoll

And give a fresh name
To everything living and dead.

Sgarthanaich

Tha mi a' cur seachad a' gheamhraidh
Leam fhìn ann am bothan
Air an taobh eile
Den bheinn ud.

Bidh mi 'g èirigh san fhuachd
Agus a' seasamh dreis
Is a' sealltainn air an neonitheachd a' sìneadh
Eadar mi 's fànas
Anns an sgarthanaich a tha balbh,
Mealltach, bagrach, nimhneach,
Seadh, is corcair fhèin.

Air ais aig baile
'S ann a tha aon fhacal
Gus a leithid sin air fad a chur an cèill.

Dawn

I'm spending the winter alone
In a wee cabin
On the other side
Of the mountain.

I get up in the cold
And just stand for a minute,
Looking at the nothingness
That stretches out between me and space
In the dawn which is quiet,
Deceptive, menacing, venomous,
Aye, and crimson or purple.

Back at home
We can express all that
With just one word.

Gazetteer

Stromeferry
(No ferry)

Stoneybridge
(No bridge)

Ullapool
(No pool)

Kirkintilloch
(No loch)

Portree
(No tree)

Gourock
(No rock)

Muir of Ord
(No ford)

Mitherwell
(no' well)

Dingwall (no wall)
Red Point (no point at all)

Stornoway
(No way)

Aviemore
(No more).

Mo Bhrògan-deighe

’S ann a dh’aon rùn
A bhios mi a’ fàgail mo bhrògan-deighe
Shìos ri taobh an dorais
Ann am baile mo dhaoine
Gus am faod mi èirigh ’s toirt às
A-mach à seo nuair a thig am fonn
Tarsainn air a’ Chuan Siar, sìnte
Na *Raja batis* romham
Cho leathann ’s nach fhaic duine
Dà cheannan rud aig an aon àm,
Tarsainn air a’ Chuan Siar
Air ais dhan Phòn Mhòr.

Big Pond

I leave my skates down
Beside the door in my folks’ place
So I can get up and get out of here
When the notion comes like a sound
Across the Atlantic, stretched out there
Like a *Raja batis* in front of me,
So wide you can’t see
Its two extremities at once,
Across the Western Ocean
Back to Big Pond.

58

Bobhstair

Seall am bobhstair
Thall ud a thilg mi a-mach
Na laighe beul fodha sa ghàrradh
A' dèanamh an fheòir
Cho rèidh
'S deanntagan ag èirigh ri thaobh.

Mattress

Look at the old mattress
I threw out
Lying facedown
Out there in the garden,
Destroying the grass
And nettles growing beside it.

FROM NAOMHÓGA NA LAOI / CURRACHS ON THE LEE (2003)

Ar mo Dhroim

Sínim amach
Agus luím siar
Thíos ar mo dhroim,
Ag leagan fabhra
Is an radio de chois na leapa
Sa siúl i gcónaí
Leis an bhfuaim ag briseadh amach
Is ar ais isteach faoi seach,
Mé ag titim ar shiúl faoin ngaoth
Ar m'ábhar féin, ar *autohelm*
Idir Carraig Aonair
Agus na Scigirí.

Autohelm

I stretch out
And lie back

On my back at home
And sleep a wink

With the radio by the bed
Going all the time

With sound breaking in and out
Turns about

As I'm drifting to leeward
And following my own inclination

On autohelm between
The Faroes and Fastnet.

Boy John

I.

Bidh am bodach,
Seadh, am braisiche,
A' falbh 's a' dèanamh suidhe
Leis fhèin ri taobh na h-uinneige
Ri ciaradh na h-oidhche

'S dìreach a' sealltainn
A-mach air *Boy John* air chruaidh
Agus, air a cùlaibh,
Air a' bhaile-shamhraidh
'S e a' dol air ais na bheinn.

II.

Gabhann sé féin leis féin
Go suíonn ar a thóin
Thiar le hais na fuinneoige
Le béal na hoíche
Go bhféachann sé leis ar an taobh thall
Ar *Boy John*
Amuigh léin féin sa ngóilín
Agus, ar a cúl,
Ar bhaile fearainn an tsamhraidh
Ag imeacht ar ais ina sliabh.

III.

The old man goes off alone
To sit for a bit
By the window after supper
And looks out
At *Boy John* at anchor
And, beyond,
The summer village
Going back to moorland.

Bruithean

Le teas an tsamhraidh
Éiríonn na beithígh
Amach faoin móinteach
Is iad thall ina seasamh
Le bruithean faoin talamh féaraigh
Is na cranna toraidh
Ag teacht faoi bhláth faoi dheireadh.

Heat

In the summer heat,
All the cattle get up like an erection

And go to the mountain
And the moors

And stand there
In heat in the grass

And the fruit-trees come
Into blossom at last.

Cumadóireacht

Baineadh preab asam ar áit na mbonn
In uaigneas na coille dom ar maidin

Ar fán i mo bhodach bóthair
I mbun cumadóireachta

Agus de chomharthaí –
Fógra. Coillte – thart faoin slí

Nuair a bhuail mé le fear ar an gcnoc
Agus dhá chú gaoithe (gan a bheith) lena chois.

Gan fiú *go mbeannaí Dia duit*, bhéic
Is liúigh mé ar ghiolla na ngadhar

A bhí gan ciú gan ceá dar liom
(An méid seo faoi mo theanga, gan amhras):

Hóra! Cois amach! – dúirt mé agus fraoch

I mo ghuth – *Nach bhfuil tú in ann léamh?*

In ainm Chroim!
Ná habair liom gur chaill tú do theanga!

Telling Tales

I got a start
In the solitude of the forest

In the morning as I rambled
Like an old beggar making up a story

And warning signs here and there
Along the way beside me

When I met a man on the hill
With two mad dogs (not) at his heel.

Without saluting, I yelled
And roared at the dog-walker

Who was, I decided, illiterate
(All this to myself, needless to say).

Hoy! Shoo! Says I with a real anger
In my voice. *Can't you so-an-so read?*

For crying out loud,
Don't say you've lost your tongue!

Dart

Breathnaím anuas
Ó lár Bhóthar an Chlocháin

Go ngabhann mo chuimhne,
Mo mharana ort chun fáin

Ar feadh meandair – DART
Ag imeacht thart

De luas
Na gaoithe géire.

Dart

I look down for an instant
From the middle of Churchtown Road

And my memory
Of you goes astray

For a second as a DART
Goes past

As fast
As the bitter wind.

Réiteach

Feicim uaim in achrann
Faoi fholt tiubh na coille

Faoi dhlaoi thall i gcúil i réiteach
Na gcraobh a grágán bán

Ina shlaoda, scaoilteach silteach,
Ag titim léi síos go talamh.

Clearing

I see in the tangled overgrowth there
Underneath all the foliage

In a recess in a cleared space
On the other side of the wood

Her highlighted tresses hanging loose
And falling to the ground.

Uimhir a hAon

Ag mo chéad bhearradh gruaige,
Uimhir a haon, is cinnte,

Agus an ola sin anuas
Air mar bharr ar an donas

Ar sileadh leis ar chúl
Mo chinn is mo mhuinéil,

Agus muid ag imeacht an doras amach
Is ag fágáil slán aige féin,

Ligeann sé an solas
Isteach ar fud an pharlúis

Is éiríonn soinneán go scuabann
Suas fad Ascaill Ráth Garbh.

Number One

At the barber's for my first
Ever cut, Number One

And all that *Brylcreem* on top
To make things worse

Trickling down the back
Of my head and neck,

As we're going out the door
And saying goodbye,

The light just like that
Fills the whole parlour

And a blast of wind gets up
And sweeps down the length of Rathgar Avenue.

FROM AN DUILLEOG AGUS AN CROTAL / THE LEAF AND THE LICHEN (2004)

Éisteacht

Im sheasamh taobh liom féin
I dteach folamh mar a bheadh teach siúil ann,
Samhlaím gur tháinig mé ar ais
Chun aitheasc a thabhairt
Dá bhfuil i m'fhianaise san éisteacht.

Imíonn mo chuimhne siar
Go smaoiním ar an bhfear mór
Is uirthi féin is amach liom leis:

Tá súil agam go bhfuil sibh ag tabhairt aire sa gcúl
Thíos ansin uaim, a chairde gaoil.

Attention

Standing on my own
In an empty house, haunted almost,
Imaging that I've come
Back to deliver a lecture
To the audience in front of me,

My memory starts to drift away
And I think of the old boy
And herself, then out with it:
I hope you're paying attention
In the back down there?

Là na Blian' Ùire

Seo muid a-rithist bliain eile
'S fós tha muid ann!
Síos anns a' bhaile
Má chuireas tú 'n t-inneal MMV as gleus
Is má ní tú cluas-le-claisneachd,
Fairichidh tú guthanna daoine
'S iad ag seanchas
Le chèile nan caint féin.

Tá 'n ciaradh ag sgapadh
Is ag imeacht ina chamhanaich.
Eadar an dà linn, an taobh
Thall nam beann úd
Tha saol is cainnt eile.
Tá siad uairean air thoiseach
Agus a-cheana,
Tá sé na là geal aca.

Ne'erday Ceilidh

Well, here we are – another year
And we're still here!
Down in the village
If you turn down the MMV player
And listen carefully,
You can hear the sound of the odd person
Cracking away
In the language they call their own.

The darkness has begun to lift.
It's beginning to dawn.
Meantimes, on the other
Side of the mountain,
There's another community
And language altogether.
They're hours ahead and already
They've got full daylight.

Oileán

Bhí mé ag cur díom anocht
Ar an ardán i gcuideachta Seamus Heaney,
Margaret Atwood is Derek Walcott
Agus neach as Críoch Lochlainn
Ag féile thiar
I mBaile Átha Cliath mo dhúchais.

Ar maidin, fillfidh mé ar ais
Ar an oileán
Ina bhfuil cónaí orm ó shin.
Gabhfaidh mé anonn thar dhroichead
An chaolais, an ghrian
Ag dul faoi, na faoileáin ag faí go hard.

Bainfidh mé amach an teach deireanach.
Caite síos os mo chomhair amach
Ar an lár
Beidh *Scotland on Sunday*
Agus an *Independent*,
Lá ar gcúl beirt.

Island

I was up there tonight
In the company of Seamus Heaney,
Margaret Atwood and Derek Walcott
And some old geezer from Iceland
At a reading held
At home in Dublin.

In the morning I'll return
To the island
Where I've made my home.
I'll make my way across the bridge
At Kyle of Lochalsh, the sun
Setting, the gulls looking down.

And I'll be home.
Lying down there
In front of me on the mat
Will be a copy of *Scotland and Sunday*
And one of *The Independent*,
Both a day behind.

FROM FLORA FROM LUSITANIA
(2005)

Ceòl-mòr

An dèidh rèiteach a chumail
Air beul an taighe, chuir e fhèin air ghleus.
Ghabh e ceòl-mòr do na bha 'n làthair
A bha dìreach uasal,
Anail a-steach is a-mach fad na tìde,
Tuar làn *Athena Syndrome*.

Fhad 's a bha na sheasamh
Ri iolach gu h-àrd agus càch
Nan tost mar bu dual, balbh,
Thàinig e dham ionnsaigh:

Chuireadh aon chuileag-mheanbh às
Don obair seo gu lèir.

Rèiteach

After the *rèiteach*, D. J. Lamont
Goes off to tune the pipes
And plays a *ceòl-mòr* for everyone,
Breath in and out,
Full of ornamentation and *Athena Syndrome*.

As he stands out over there
In classical pose,
Blowing away, everyone else
Observing due silence,
It strikes one:

A tiny wee midgie
Could ruin all this.

Plathadh

A-raoir nam aisling,
Fhuair mi plathadh
De chlann-nighean a' chlèith-luadhaidh
'S na làmhan a' dol gun abhsadh
Rin cuid luinneagan
'S òrain-bhàthaidh gu brìoghmhor.

Agus an uair sin 's ann a thrèig
An fhuaim a bha san dealbh
Gus an do dh'fhàs a' chlann-nighean
Gu bhith nan cailleachan ann an sreath
San *typing pool* eadar
An dà chogadh mu dheireadh.

Lewis, Harris & Co.

Last night in an *aisling* I had,
I caught a glimpse
Of waulking-women from Lewis and Harris
Around the table,
Hands going to beat the band,
Belting out a chorus.

And then the sound
In the picture faded
And the women had become
These old wifies
All in a line
In the typing pool between the wars.

Tàladh

A-nis a tha e tighinn dham ionnsaigh!
An luinneag Ìleach ud
A ghabhadh e fhèin
Dìreach o chianaibh
'S nach do dh'aithnich duine,

Chan e fonn 's chan e rann
A thog e ri glùin
A mhàthar a bh' ann
'S a' chlann cruinn còmhla mun bhòrd,

Air a chaochladh, 's e bh' ann
Ach an turram sin
A tha mar thàladh na bruinne.

Slat nach Lùb

Now I have it!
See yon dirge from Islay
The bodach had started to sing
To himself lately
Which nobody recognised?

It wasn't a titbit
He picked up at his mother's knee
With all the other boys and girls
Gathered around the table.

No, indeed.
It was the murmuring
Which is the *berceuse* of the uterus.

Togail is Giùlan

Abair an dà latha!
Nuair a bhiodh na bodaich a' leagail
Nan craobh sna coilltean, bhiodh iad gan togail
Air an dara gualainn
Agus a' gabhail an slighe.

'S nuair a thigeadh an cràdh orra,
Bhiodh iad gan leigeil a-nuas gun anail
Is gan cur a-null dhan tèile,
Cho rèidh 's mar gum biodh iad a' giùlan
Uallach is eallach an t-saoghail.

Exquisite

Changed days indeed!
When the old boys were over there
Felling for the Forestry,
They used lift a tree on one shoulder
And go their way.

And when the pain became exquisite,
As they say, they just changed over
To the other, no sweat,
Just like they were carrying the weight
Of the whole wide world.

Teàrnadh

Bha dùil ris an t-seachdamh
Uair sam bith tuilleadh.
Dh'fhairich i ataireachd is gàir a' chuain
A' tighinn tarsainn a' Ghlinne.
Bhris na h-uisgeachan aice.

Laigh i sìos air an làr cho fliuch.
Ghabh i ri cloinn.
Rug i air an spot.

Nuair a thog e ceann,
Rinn i 'n teàrnadh a ghlanadh
Is a shìneadh a-null do Mhàiri.

Dh'èirich i
Gun bhìog an uair sin
'S thill i ris an tobar aig a bhàthaich.

Afterbirth

The seventh was due
Any time.
She felt the swell and roar
Of the ocean across the valley.
Her waters broke.

She lay down
On the wet floor
And gave birth just like that.

When the head appeared,
She wiped all the afterbirth off it
And handed it over to Mary.
She got up then
Without a word
And went back to the well by the byre.

Flora

Adharc an Diabhail
Adharc an Phúca
Animated Oat

Aiteal
Bod Gadhair
Baby's Breath

Claidheamh a' Choilich Dhuibh
Buí na nIníon
Bells of Ireland

Earball Rìgh
Cailleach Dhearg
Brandy Bottle

Feusag Bodaich
Coigeal na mBan Sí
Burning Bush

Lus nan Gillean Òga
Cuach Phádraig
Candytuft

Pleòideag an Earraich
Duilleog Bháite
Drunkard's Dream

Raineach Chill Airne
Duilleog na Saor
Frog's Bit

Rìgh na Coille
Féar Gortach
Golden Rod

Sìoda Monaidh
Fraoch na hAon Choise
Lecoq's Poppy

Teang' a' Choin Uaine
Leaba Phortáin
Night-flowering Catchfly

Teanga Nathrach
Luibh na bhFear Gorm
Hornbeam

Teine
Magairlín Meidhreach
Star of the Veldt

Tiodhlac na Mara
Na Deirfiúiríní
Youth & Old Age

Beàrnan-Brìde

Bheireadh i rabhadh seachad:
Na beanaibh ris a' Bheàrnan-Bhrìde!
'S cha b' e ruith ach leum leinn
An rud fheuchainn.

An toiseach gnothaich,
Bhiodh tu gad lùbadh fhèin
Gus a bhuain is ga thogail an-àirde.
Bhriseadh tu an gas.

An uair sin, spreadhadh a' bhrìgh gheal na bhroinn às.
An uair sin, bhiodh tu ga chur na do chraos.
An uair sin, ga shlogadh sìos.

Agus an uair sin,
Mus canadh tu seachd,
Bha thu air an gnothach a dhèanamh.

Dandelions

The cailleach would warn us:
Don't go near those bleedin' dandelions!
And, of course,
We could hardly wait to go and try them.

First of all, you bent down
To pick it and get it up.
Then you broke the stem.

Than, all that sap
Inside came spurting out.
You put it in your mouth after that
And swallowed it whole.
And then, before
You could say Jack Robinson,
You were done.

Cuibhreann

Nochd fear òg anns a' bhaile
An là roimhe, trusadh,
Seadh, dèile?

Chuir e e fhèin an aithne
Dhan a h-uile duine.

Chuir e ceist air a' bhodach:
An dùil
Càite bheil
(Cuibhreann air choreigin)?

Rinn e meòrachadh.

Mu dheireadh thall,
Shìn e làmh a-null
Agus thuirt e ris:

'S beag m' fhios
Ach 's ann thall an sin
A b' àbhaist dha bhith.

Field Work

This bloke
Appears in the village
The other day.
Field work – what else?

He introduces himself to everyone.

He asks an informant:
Where is (such and such a place),
Do you suppose?

He gives it some thought.

Eventually,
The bodach points over there
And says to the fellow:

 *Search me. But I know
It was over there once.*

Déjà Vécu

I don't think I can take it anymore.
We watch this evening's news from Network Three.
She says: *I've seen and heard it all before.*

I try naan bread from Bangalore.
I've had it, she says, *prefer my shortbread, me.*
I don't think I can take it anymore.

She says that all along she knew the score
In tonight's local derby from Dundee.
She says: *I've seen and heard it all before.*

She'd never met Su Wong from Singapore
And when she did, she said: *Long time no see!*
I don't think I can take it anymore.

She throws *The Independent* on the floor.
The tray her tea's on falls off the settee.
She says: *I've seen and heard it all before.*

I'm out of here. I'm heading for the door.
I'm, like, speechless. I've somewhere else to be.
I don't think I can take it anymore.
She says: *I've seen and heard it all before.*

FROM ZONDA? KHAMSIN? SHARAAV? CAMANCHACA? (2006)

Sgàilean

Air an t-slighe sìos
Dhan chala san uisge san sgarthanaich
Agus an *Western Isles* a' fuireach,
An lìon beag is beag,
Chaidh na rionnagan às an t-sealladh.

Thall ud am bad
Air choreigin, dh'fhairich mi fead.
Chaidh na h-eòin às.
Dh'fhàs an speur dearg.

Agus cuid aca, mun àm sin
Agus na tràthan a' dealachadh,
Nach ann a bhuail iad anns an sgàilean
Mar gun robh iad a' feuchainn
Ri cur às dhaibh fhèin.

Windscreen

On the way down
To the pier in the rain first thing,
The *Western Isles* waiting there
Alongside, one by one,
Tha stars went out.

From somewhere on the far side,
I could make out a clear whistling sound.
The birds started to go out of sight
As the sun turned red.

And some of them, in that moment
Between dark and light,
Came flying into the windscreen
As if they were wanting
To do a kamikaze.

Tarraing

A' cromadh a thogail
Nan sgrìobagan a dh'fhàg mo mhac air làr
An t-seòmair aige na dhèidh na ruith,
'S ann a thug mi 'n aire cho tric
Is a bhios *Mutant Boy* aige mar chuspair.

Rin mi còrr is fichead comic –
No dreach aca far nach eil ann ach tarraing
An toiseach air an ainm
Agus air a' chiad chaibideil
Is an dealbh ceangailte ris – àireamh,
Agus e 'n ìre sin air a thrèigsinn
Bho nach do lean e air ga leudachadh
Ach gu ìre gu math beag

Agus tha mi 'n dùil, ann an dòigh,
Gur h-ann dìreach mar sin fhèin
As fheàrr a tha e a' tighinn rium.

Issue 1

Bending down to tidy away
The ruled sheets and pages my son's left
Scattered on the floor, I notice how often
He has *Mutant Boy* as the subject.

I've counted over twenty
Of these – or those in draft
With title, sub-title (*Issue 1*) and illustration,
Abandoned undeveloped at that stage

And, in a way, given the choice,
That's how I'd like it best.

Riochd

Chaidh mo mhosgladh anns an leabaidh
Ri briseadh-latha.
Thionndaidh mi 's shin mi làmh
Is bha riochd na mnatha
Rim thaobh. Gun smuain,
'S ann a thuirt mi rithe:
Dè 'n uair a tha e
San taobh sa bheil sibh fhèin?

Shade

I woke in bed
First light.
I turned and stretched
Out a hand and she was there
Beside me in the shade.
Without a thought,
I said: *What's the time*
Over on your side?

Aiteal

An dòigh san deach e às an rathad,
An dèidh dha
Sìneadh is toirt dheth,
'S ann a fhuair e e fhèin ga shuaineadh
Leis an leabaidh-luachrach
Is na cuilcean ud
An cleith
Fon aiteal air bhàrr na Sionna.

Glimmer

The way he left was this:
After he took off and stretched out,
He found his feet
Entangled in the rushes
And reeds hidden
Under the glimmer of the Shannon.

Balbhadh

Ann an *Aula Maxima* Chille Chuimein
Agus na dorsan sraointe fosgailte 's na gillean
A bha sealltainn gu cruinn
Ann an toll bho thràth sa mhadainn
Air falbh an-dràsta gu lòn,
Chan e 'm balbhadh a tha sinn a' faireachdainn
Balbhadh nam bràithrean
Is nan athraichean ann
Ach balbhadh dìth nan gòbhlan
Is nan gealbhan anns an eidheann
Is anns na cabair gu h-àrd os ar cionn.

One

In the Great Hall of the old Benedictine Abbey
In Fort Augustus,
The doors wide open
And the men who'd been standing around
Since eight, looking into a hole in the ground
Away to take refection,

The silence
That one observes
Is not the silence of brothers and fathers
But that old swift-and-sparrowlessness
In the Irish Ivy and Poet's Ivy
And rafters high above.

Cuspair Cuspair

Faodaidh cainnt
Anns nach gabh
Dealbh slàn/dealbh shlàn
De do leithid a chur ann am briathran
Falbh a Hirt.

A rèir an fhaclair
A chleachdas mi fhìn a-ghnàth,
Cha dèan mi uimhreachd idir
Eadar thusa mar chuspair
Agus thusa mar chuspair.

According to Dwelly

Any form of speech
In which it's not possible
To give a picture in full
Of you and your like
Can go to hell.

According to Dwelly,
The one I go to first, usually,
I can't distinguish
You as an object subject
From you as a subject object.

Sgàthan

A' sealltainn a-mach
Air an uinneig air an Linne Shlèitich
Mar gum b' ann air sgàthan
Mar a bha riamh.

Dè na sgrìoban ud an sin,
Saoil, cho dìreach,
Anns a' chuan air mo bheulaibh
Nach robh ann a chianaibh?

Lines

Looking out the window
At the Sound of Sleat
Like looking in the mirror
Same as ever.

What are all those lines there,
So straight,
In the bay in front of me
That weren't there just now?

Àm-tadhail

'S e Disathairne
'S fheàrr leotha le chèile
Mar àm-tadhail –

An dèidh cuid na h-oidhch' a ghabhail,
Bidh sinn a' dèanamh suidhe
Gu cruinn

'S gun de dh'fhuaim ann
Ach an t-srùblaich, na solais ìseal
'S a' sealltainn air *Parkinson*.

Visiting Time

Saturday night's when they like to feelvisit –
After supper
We all sit around,
Not a sound
But the sucksipslurping, lights out
And watch *Parkinson* together.

Gille-mirein

Thàinig tu fhèin air ais
Fhad 's a bha mi nam laighe
Ri balbh na h-oidhche.

Thug thu a-nuas
An gille-mirein
A-mach às a' chiste thall ud
'S chuir thu air ghleus e.

Rinn mi dearmad
Gum faodadh tu a chur a' seinn.

A-rithist, 'ille!

Whirligig

You came back
To my place
In the dark.

You took the whirligig
Out of the kist
Over there and set it spinning.

Fancy forgetting
You could make it
Sing! Sing!

Encore! Encore!

Ceum a' Bhodaich

Luaisg mi às mo thàmh gun fhiosta
Nuair a dh'fhairich mi ceum a' bhodaich
A' druideadh ri doras an t-seòmair.

Nuair a leig e sgread às,
Chuir mi mi fhìn am falach
Fo na plaidichean

Is nuair a dh'fhalbh e, thog mi mo cheann
Is chan fhaca mi de shamhla
Fa mo chomhair
Ach an stad-iongnaidh na chois.

Mark

Suddenly I woke up
When I heard his footstep
Near the door of the room.

When he called out, I went
And hid under the quilt
And after he'd gone
I lifted my head and all I could see
Was the exclamation mark he left behind him.

Ceann an Rathaid

Theich thu dhan bhus ri ceann an rathaid,
Thusa 's do luchd-eòlais
Gun diù
Gun soraidh slàn
Fhàgail againn.

Bha mi dìreach an impis
A' cheist a chur:
Dè tha thu 'g iarraidh
Airson là na h-aois' am-bliadhna?

Bha beachd agam dè bhiodh tu air a ràdh:
Dèile! Legoland!
Co-dhiù.

Chaidh mi air falbh an uair sin
A thogail an sprùillich a dh'fhàg thu fhèin
Air a sgapadh air an làr

Agus a chàradh do leapa,
Làn le criomagan
Agus fliuchan – *tit!* – anns a' mheadhan.

Legoland

You ran off to the bus
And your mates at the road-end
Without as much as a by-your-leave.

I was just going to ask where
You'd like to go for your birthday this year.

I guessed you'd say
Legoland! Where else!
Anyway.

After that, I went
To pick up the odds and ends you left
Scattered all over the floor

And make the bed,
Full of crumbs
And a wet patch in the middle.

Clàran

Air ais a-staigh san t-seòmar-fhois,
Ag imeachd le frionas
Air na corpagan thairis air a' bhrat.

Seo mi fhìn fhathast
Ris a' chleas
A thog mi cho fad' air ais
Ris na làithean
A dh'ionnsaich mi coiseachd is ceòl is labhairt fhèin
Agus air adhbhar sònraichte:

Tha, seach gun robh e a' cur thairis
Le gorm is dearg is uaine 's glas is buidhe,
Na 78s is na 45s is na 33s.

Tintaun

Back at home
In the sitting room,
I find myself making my way carefully
Across the *tintaun* on tiptoe.

Here I am
Going about it much the same way
As not long after I learned to walk
And sing and began to talk

And all for a good reason:
The whole carpet was a mess,
Blue and red and grey and yellow and green
Of 78s and 45s and 33s.

Stad

Nuair a chaochail e fhèin, gun teagamh
Chaidh stad a chur orm ach an dèidh sin
Cha do ghabh mi ris.

Thuirt mi rium fhìn:
'S e iomrall
A th' ann. Cha do leugh e 'm *Pathfinder*
A bh' aige gu ceart.

Bha e a' siubhal an aiseig ann an Armadal
Gu fadalach is thug e a-mach Àird a' Bhàsair.

Na bu diù leat!
Bidh e air ais, tha fios,
Uair sam bith tuilleadh.

Pathfinder

When he passed away,
Of course I got a shock
But I didn't accept it.

I told myself: there's been a mistake.
He's gone and misread his *Pathfinder*.
He was looking for the Armadale ferry,
Late, and headed off instead to Ardvasar.

No reason to get upset!
He'll be back,
I'm sure of it, any minute.

Air an Druim

Sheas mi leam fhìn air an Druim
Thall ann an Eilean Cheap Breatainn
Far an tàinig na Dòmhnallaich
Is Caimbeulaich is iomadach
Dream is cinneadh eile bho chèin.

Thug mi sùil a-null 's leig mi mo lochan
Air na mucan-sneachda, nas àirde
Gu mòr fada na duine
'S mi ri meòrachadh air an Eilean agam fhìn:
Càite 'n deach na caoraich bhuidhe bhuam?

Cianalas

I stood on a ridge, well on
In the fall, still clear, between
Kingsville and Queensville, Cape Breton, home
To MacDonalds and Campbells
And all the rest. This is *cianalas*.

I looked over and pissed
On the snowdrifts, taller
Than a man by far
And missed my own island.
Where have all the bleedin' sheep gone?

Dealgan

Bha mi dìreach a' gabhail beachd
Às ùr air gruaig mo mhùirne
'S mar a bha i mar dhealgain-ghiuthais
Mu na casan againn air làr na coille

'S an uair sin, gun fhios,
Nach ann a dh'fhàs a' ghaoiseid
Air mo dhruim agus fom achlais
Air an tolladh le cùirneanan-fallais

Mar gum biodh iad air an sèideadh an aghaidh na glainne
Le gaoth gheur dheas far Linne Shlèite.

Clearing

I was just thinking about her hair again, rerooted
And highlighted, like all those blighted maiden-ferns

And pine-cones and needles we walked into a rut
In a cut-and-run clearing in the aftermelt,

Then up over the talus, when a strand
Here and there on my back was shot through

With beads of must and sweat

As if they'd been blown against the glass

By a sheer gust from the south
In the fine light mist off the Sound of Sleat.

Bàbag

Dh'fhairich mi nam fhallas an corp na h-oidhche.
Thug e ùine mus tàinig
E a-steach orm dè bh' agam ann am fìrinn –

Dè bho Dhia
A thug air Bàbag
Nach do thog duine bho chionn fhada
Glaodh a-mach mar sin
Gu h-ìseal am broinn a ciste?

First Light

I woke up, all wet, first light.
It was a while before
I realised what was taking place –

What could have made
Barbie, who nobody
Had picked up for a long time,
Start to cry
Like that from the bottom of her chest?

Ceann-gnothaich

Níor thug duine 'n aire
Dó san am ach tha fios
Gun robh uisce faoi thalamh
De chineál air choreigin
Ar siúl aige
Nuair a ghoid e mar sin leis
Ar ceann-gnothaich
Air choreigin siar don bhaile
'S fios aige glan
Gurb é sin am feasgar céanna
Sam biodh iad a' dùnadh uile
Díreach an dèidh meadhan-latha.

Close

We didn't appreciate it at the time
But we now realise
He was up to something then
When he went off like that on a message
Into the village on his own
And he knowing fine
That's the very afternoon
They all close after noon.

107

Dìreach gus a Ràdh

Gun do chuir mi crìoch
Air an *Tè Bheag*
A dh'fhàg
Thu air a' bhòrd

Is a chuir thu gu taobh,
Tha fios, a dh'aon steall,
Airson a' chèilidh a-nochd.

Tha mi duilich!
Bha i eireachdail.
Rinn i feum dhomh.

Glenmorangie

I finished
Off the *Glenmorangie*
That you'd left
On the table

And put aside
On purpose, I'm sure,
For the ceilidh tonight.

Sorry!
It was lovely.
It did me good.

FROM **CHERNILO (2006)**

Cumhacht

Oíche na Gaoithe Móire
San oileán, d'éirigh sí chomh hard
Gur leag sí na crainn ar fad
Anuas gur dúnadh na bóithre
Nó gur chaill muid an bealach go léir.

Gearradh an chumhacht
Agus cuireadh siar muid ar luas lasrach
Go tús an chéid a d'imigh thart
Sular tugadh isteach
An solas tacair sin don tír.

The Gales

When the gales came in last Old New Year from nowhere
And communication lines long-standing were felled,
All the single tracks with passing places were closed
And we couldn't make it out over the sound.

We were all stranded and left without power on our own
And taken in time back four or five generations or more
To not so long before they went and brought in
The first real artificial light to the island.

Na Buachaillí

Chomh géar glan i gcónaí:
Na buachaillí
Réidh leis an tionól
Is an tumadh faoin bhfál
Agus gur stad siad siar tamall
Sa gclaí le caitheamh

Go dtagann de sciotán
Le poll mo shróine boladh
Gaoithe faoin gcluain,
Dachtán i ndiaidh ceatha,
Toit, uisce beatha,
Mún, cac is anáil.

The Men

It's all so clear and sharp still
And always – all the men done
Gathering and dipping at the pen,
Then stopping and standing a while
To smoke by the fence
And talk of times gone

And suddenly there's the smell
Of wind in the aftergrass
And earthy smells that come
After the rain
And of the drink and smoke
And breath and sweat and shit and piss.

Ar an mBruach

An duine beag i ngreim láimhe
Ag m'athair mór ag an mbruach –

Dar leis an gcéad duine
Gur ag siúl atá an t-uisce,

Dar leis an gceann eile
Gur ag rith.

The Burn

Our wee mannie holds on
To Papa's hand on the shore –

One of them says the burn
Is flowing gently past,

The other one says fast
And in full spate.

Taisteal Abhaile

Ag taisteal abhaile nó go tír mór dóibh
Ar *Aer Árann*, má thiteann amach
Go dtuirlingíonn an soitheach
De phlimp is de gheit anuas,
Glacann muintir an oileáin leis.

Ní bhíonn siad ag dul i muinín
Gléas tarrthála ná aon cheo mar sin.
Deir siad: *As ucht Dé, bíodh –*
Ní mór don spéir a cuid féin
A bhaint gach uile bhliain.

Hackletravelling Homewards

Hackletravelling homewards or to the bigmainland on *Aer Árann*, if it should fallouthappen that the vessel desecends in a sudden plump-bangfall and jetjolt down, the islanders accept it. They don't place their faith in saving apparatus or any mistcloudthing like that, they say *For God's breast-sake let it be – the sky has to take its own share every year.*

45

Ag gabháil thart i gcónaí, ag druidim
Le 45 dom, casaim
Is tarraingím an tarraiceán ar ais
Go líontar poll mo shróine
Leis an mboladh dreoite tais –

Leathanach cúil an *Evening Herald*,
Biorán, miotán ciotóige, muinchille
The Wreck of the Edmund Fitzgerald.

45

Still going round, close
To 45, singing, I turn
And pull the drawer open
And my nostrils fill
With that old mustymoisty smell –

The back pages of the *Evening Herald*,
A pin, a left-handed fingerless glove, the sleeve
Of *The Wreck of the Edmund Fitzgerald.*

Loch Bled

Dé Domhnaigh leis an láchan,
Is an lá geal, tá clog ag gabháil
Mar a ghabhann ceithre seal san uair.

Ar an taobh thall,
Bogann scuaine lachan
Agus buachaill i mbun *pletna*
Mar a bheadh spealadóir
Go mall ar lom an locha.

Lake Bled

At first light on Sunday
The bells ring out again
As they do four times an hour.

On the far side,
A flock of ducks goes by
As a young man with a *stehrudder*
Moves his *pletna* like a scytheman
On the flat calm of the lake.

Seasamh

Im sheasamh liom abhus
Ar an mbruach ag caitheamh duán
Mar ba ghnáth liom seasamh
Taobh leis féin tráth,
Nach láidir nach bhfuilim in ann
É a mhothú im aice fós –

Ag faire linn ar an uachtar
Le súil is go dtiocfaidh suaitheadh
Le greim dá laghad a cheapadh
Le tabhairt ar ais don líon tí –
Is an ciúnas a d'éirigh riamh nach mór
Idir an dá cheann i gcónaí.

Standing

Standing on my tod here
On the shore with my rod
Like I used to stand
With himself once upon a time,
I can almost feel
And hear him beside me still –

Waiting and watching on the surface
And hoping for a ripple
To catch the smallest bite
To bring back home and the silence
Almost always there
Between the two all the time.

Soilse

Ag siúl go tiubh liom féin
Ar bhord na Life,
Rinn Ó bhFaoláin le béal na hoíche –
Bonnán ceo tobann,

Solas an Phoill Bhig,
An uair sin dearg,
An uair sin green,
An uair sin *Stella Maris*.

Lights

Walking out fast
By the Liffey on my tod
In Ringsend at night,
There's a sudden foghorn,

The Poolbeg lights,
Then red,
Then green,
Then *Stella Maris*.

Deireadh Fómhair

Tá sé ag druidim le Deireadh Fómhair.
Tá mo dhuine sa mbaile le glúin
I bhfeac ar bhrat i mbun fiaile.
Tá cuid acu feoite dreoite
Cheana nó imithe le gaoith.

Nochtaim féin ar an lom.
Tógann sé féin a cheann
Go mbeannaím dom: *Ní dóigh liom*
Go mbeidh orm gabháil don obair
Gan chríoch seo mórán a thuilleadh.

Weeds

It's almost October.
The last of the old boys is at home,
Bent over and kneeling
On a mat like at mass,
Working away at the weeds,
Most of them withered
Or windborne off already.

Then I appear on the scene.
He lifts his head
And takes off his cap
And gives me the time of day:
I don't think I'll be up
For this never-ending slog
Here any much longer.

Folamh

Thiar sa mbaile,
Thug mé dom aire ball folamh

Mar ar ghnáth le scuaine
Lachan a bheith tráth

Ag éirí suas chun na spéire
Os mo chomhair os cionn an teallaigh.

Empty Space

Back at home,
I noticed an empty space

Where there used be
This flock of ducks about to fly

Away up in the sky
Right before us above the fireplace.

Rannóg na mBréagán

I Rannóg na mBréagán *en Paris*
Ar geábh lae dom inné,
Sheas mé le hais na fuinneoige móire.

Bhreathnaigh mé uaim amach
Suas bealach Mhontparnasse
Agus ar a bhfuil timpeall.

Nocht ainnir
Mar a bheadh aisling ann
Gur chuir sí ceist

An raibh cabhair ag teastáil?
Mheabhraigh mé tamall,
Chaith mé m'aigne siar

Don mhéid beag bídeach
A d'éirigh liom a choinneáil
I mo chloigeann i mo mhac léinn

Agus amach liom leis:
Je suis désolé.
Je regarde seulement.

Rayon des Jouets

In the Toy Department in Paris
On a daytrip yesterday,
I stood beside the *grande fenêtre*.

I looked out
Up to Montparnasse
And everything around about it.

A *jeune femme* appeared
Just like out of an *aisling*
And asks me:

Did I need assistance?
I thought about it for a while.
I cast my mind

Back to the wee scraps
I managed to preserve
In my head as a student

And then out with it:
Sorry.
Just looking.

Dathanna

Céard iad na dathanna sin thall ansiúd
Nach léir do mo shúil ag éirí
Níos dlúithe sa spéir
Mar a bheadh préachán breac ann,
Líonta lán le réaltaí
Go hard os cionn an bhaile mhóir:
Kabul ar dtús báire,
Basra, Baghdad
Agus anois Tripoli, Tunis, Tehran
Is Cairo le béal na hoíche?

Dorn an Chlaímh?
Nó Slat an Bhodaigh?
Nó an Madra Mór.
An tIolar b'fhéidir?
Nó an Tréidín?
B'fhéidir an Tarbh?
Nó an Colgán?
An Saighdeoir nó an Sciath?
Ní hé, dar fia.
Ní hé ach tuar catha.

Colours

What are those colours over there not alasclear to my hope-eye growrising tightnearer in the sky like a troutspeckled jetblackmagpiecrow fully fullfilled with stars high above the bigcityvillage: Kabul at the start of the playboyhurling, Basra, Baghdad and now Tripoli, Tunis, Tehran and Cairo in the nightmouthevening? The sword handlefistpunch double cluster in Perseus? Or churl Orion's yardrulepenisbelt? Or Canis Major? Maybe Aquila? Or the little Pleiades flock? Maybe Taurus? Or sword-fishprickle Dorado? Sagittarius or Scutum Sobiescianum? No, deergod knows. No, it's a manurebleachingrainbowomen of battleshowers.

FROM EADAR FIARADH IS
BALBH NA H-OIDHCHE /
BETWEEN THE GLOAMING AND
DEAD OF NIGHT (2007)

Caomhan

Dh'fheuch tè air choreigin
Ri Caomhan a thàladh
Anns an fhàsach an Gleann Dà Loch
Is sheas mo laochan rithe
Dìreach mar a' chill 's an clachan a thog e fhèin –

Cromadh-an-taighe dìonach air an tìde,
Glainne-dhathte fodha sin,
Luaidh ga cròthadh
Is, a' ruith tarsainn, sail de chruaidh
A' boillsgeadh eadar an dà cheann.

Crosswise

A local female, Kathleen, hit,
One tradition has it,
On St Kevin in the wilderness
At Upper Lake, Glendalough
And he stood up to it
In the one-bed cell
And meditation hut he had built –

A roof to endure
Any weather, stained glass beneath,
Lead flashing to make it all secure
And crosswise a beam of steel
Illuminated between the two ends.

Brochan

Cha do thuig sinn aig an àm
Ach tha sinn ga thuigsinn gu ceart
An-diugh: nuair a rachamaid
A chèilidh air Mòrag is Calum
A h-uile feasgar Didòmhnaich
O chionn linn crochadh nan con
'S iad cho toilicht' ar faicinn,

Am brochan a rèiticheadh a' chailleach
Is a riaraicheadh i a-mach oirnn,
Cho tiugh 's gum b' urrainn dhut
Sgian 's a leithid fhàgail nan laigh' air
Mar air uisge bodhar, fad ùine nan cian,
Gur h-e 'n rud a chùm an-àirde cho fada sin iad
Ach teannachadh-uachdair.

Sunday Afternoon

I didn't get it then but know
It alright now:
When we went to visit
Uncle Paddy and Aunty Bridget
On Sundays in Churchtown
And they'd be so glad
We were there, that gruel they had
They served so thick you could put a knife
Or two on the top
As in stagnant water for an age,
What kept it all up
So long was the surface tension.

125

Cluain Charmaig

Ri glasadh na maidne
'S Taigh Mòr Chluain Charmaig ri teine,

Shìn bean-an-taighe
'S na sgalagan cruinn timcheall oirre.

Gun diog aca, shìn i air ais
Air a' bhlianaig, a' coimhead air an lasadh

A' falbh le gaoith 's a' sioglachadh
À searrag làn *Hennessy V.S.*

The Big House

At daybreak and the big house
Outside Castletownroche on fire,

Tha lady of the house
And all about her her servants,

Without a word, stretches
Back on the lawn, watching the blaze

Drifting and shifting, with two fingers
Of *Hennessy V.S.*

Èigh Dheireannach

San *Departure Lounge* airson
Barraigh 's Beinn a' Bhaghla,
Cailleach thapaidh leatha fhèin a' feitheamh
Ris an èigh dheireannaich
Agus guth gu h-àrd ag iarraidh mathanas
Leis gu bheil maill' ann.

Bidh a' chailleach ga cromadh fhèin
Is ag ràdh ri neach
Nach eil san làthair fon teanga:
Coma leat, a luaidh!
Cho cinnteach ris a' bhàs,
Thig i uair no uaireigin.

Final Call

In the Transit/Departure area at night –
It's all the one
Zone and terminal –
For Barra, Benbecula and Islay,
This hardy cailleach waits on
Her own for the final call
As a disembodied talking head out of nowhere
From above apologises for the flight running late.

Shugarit! I say, then *Sorry! Nearly forgot*
My language there for a minute.

All the cailleach does is turn
And say in the Gaelic to a fellow passenger
Who's not there, under her breath:

Never you worry.
Sure as death,
It'll come sooner or later.

Tighinn dham Ionnsaigh

Siud mi fhìn gu h-àrd a-staigh na mo leabaidh,
Fhathast na mo dhùsgadh
Oidhche Didòmhnaich.

Tha sibh fhèin gu h-ìseal, meabadaich
Is lachanaich a' dol gun euradh
Is cha tèid agam air dèanamh a-mach
Gu dè tha sibh 'g ràdh.

'S ann an-dràsta fhèin a tha e tighinn dham ionnsaigh
Carson nach rachadh.

Tha, seach gu bheil sibh marbh.

Still

There I am at home up in bed,
Still awake
On a Sunday night.

Downstairs, everybody
Is chatting and cracking away
And I can't make out
What you're on about.

It's only now I realise
Why I don't.

But of course! It's because you're dead.

Leabaidh Dhiarmaid is Gràinne

Fon chàrn, ghabh iad air falbh
Gus an tug iad a-mach sliasaid Beinn Ghulbain
Ri marbh na h-oidhche.

Rinn iad iad fhèin a shìneadh
Air an druim-dìreach air lom na lice
Mar gum biodh iad a' dol fon sgithinn.

An uair sin, an dèidh dhaibh an gnothach
A dhèanamh, 's ann a theirg iad às
(Mas fhìor don t-seanchas).

★

Thàinig mi fhìn oirre gun fhiosta
'S an treud a' cnàmh air a h-àrainn.

★

Bidh iad ga cleachdadh fhathast
Aon turas an comhair na bliadhna
Didòmhnaich mar làrach-ìobairt,

Fhathast na seasamh air chumadh
Dorais eadar dhà dharach
Agus, air snaidheadh air gach taobh,
Samhla naomh air choreigin.

Leaba Dhiarmada agus Ghráinne

They took off like Bonnie & Clyde
Up Ben Bulben all the way to the summit
In the night without a sound.

They stretched flat out
On top of the bare flagstone
Like it was an operating theatre.

Then, after having done the business,
They just, so the legend
Has it, legged it.

        ★

I came upon it all by accident
With the flock grazing beside it.

        ★

They still use it
On Sunday, once a year,
As a sacrificial site,

Still standing in the shape
Of a door between two oaks
And, engraved on each side,
Some holy image or other.

Fosgladh

Air uchdan eadar Macherado 's Kiliomeno
Ri linn dealachadh-nan-tràth,
'S e tha mi dèanamh
A-mach ach an solas
Mu thràigh Kalamaki 's Laganas
Mun fhàire bho dheas
Agus thar Caolas Ionia
Thall ud tha na beanntan
'S a' chuid eile de na h-Eileanan A-staigh.

Cho luath 's a nochdas
Am fosgladh às an taobh siar
Anns an eadar-dhà-sholas a tha 'n seo,
Siud a' tighinn ris
Na taighean geala –
'S e chanadh neach
Gur h-e bh' aige Taigh Eòghainn
Is Taigh Alastair
Is Taigh Eachainn 'icAonghais.

Sheet-lightning Opening

On a terrace eitherbothbetween Macherados and Kiliomeno at the gen-
erationtime of the parting of the earlyprayermealtimes, what I make out
is the moonlight about the sandylow-tidebeach at Kalamaki and Laganas
on the dawnhorizon to the rightnearsouth and across the Kyle of Ionia
over there the moormountains and the rest of the Inner-at-home
Hebrides. As fastsoon as the sheet-lightningopening nakedappears from
the west side here in the eitherbothbetween two lights, the white hous-
es fitreveal themselves – an apparitionperson might singsay they were
the House of Ewan/Evander and the House Alistair/Alexander and of
Aneas/Angus and Hector.

Guth ri Ràdh

Ghlaoidheadh iad a-mach ann an Hiort:
Tha Goill air a' Ghleann!
Agus thug iad an cnatan-mòr a-steach.

Agus nuair a dh'èirich a leithid dhaibh
Gus nach blaiseadh iad am beathachadh
Is nach fhaigheadh iad fàileadh ann

Is nach fhaiceadh is nach dùisgeadh ach air èiginn
Is nach cluinneadh is nan cante: *Ciamar a tha sibh*
A' faireachdainn? 's gun canadh iad, mar a thuirt

Agus am bodach eile: *Och, guth ri ràdh!*
'S e na dh'fhairich iad an uair sin
Ann an da-rìribh: *Tha, dìreach a' bàsachadh.*

Nothing To Be Said

They'd cry out in the Village in St. Kilda:
There are foreigners in the glen!
And they brought in the influenza.

And after they contracted it
And could no longer taste their food –
Fulmar, gannet, puffin – or smell anything

And couldn't speak and couldn't wake, even,
And couldn't hear and if you asked
And how are you feeling?

And they'd say like they did
Och, nothing to be said!
Actually, Dying is what they really meant.

Sanasan

A-raoir a' falbh sìos
Am bruthach air *Highland Express*
Leis a' chloinn fo sgàil nam beann,
Beinn Bhreac is Beinn Riabhach,
Loch Laomainn an dàrna taobh,
Gleann Dhùghlais is Gleann Freòin thall an taobh eile,
Sanasan ùra Gàidhlig nan cùirn air fad na slighe,

Chaidh stad a chur oirnn
A' druideadh ri ceann-uidhe
'S thàinig oirnn dol air fhiaradh.
Thionndaidh mi ri Alastair is Andrea:
Seallaibh! An toit a tha 'n sin air fàire!
'S e na bh' againn ach losgadh
Am broinn Taigh nan Leabhraichean, Alexandria.

Signs

Making up for lost time winding down the *bealach*
On the last stage late last night on *Highland Express*
With all the bairns under the shadow of the hills
Past the Falls of Falloch, Beinn Riabhach, Beinn Eich,
Loch Lomond over by on one side and Glen Douglas
And Glen Luss through the other, the Gaelic names and signs
Like so many memorial cairns by the side of the road,

We were held up near our final destination
For ages and forced to go down an alternative route
And double back down a single-track road. I turned
Around to speak to Alistair and Andrea.
Look! I said *The smoke over on the horizon!*
And there it appeared, all up in flames and burning away in a tongue
Of fire out of control, the old public library in Alexandria.

FROM CÉILÍ SAN OÍCHE /
CEILIDH AT NIGHT (2010)

Scuaine

Taobh liom féin i scuaine
In *Morrisons* an lá cheana,
Thóg mé builín fánach.

Rinne mé é a fháscadh
Idir an ordóg agus mac an daba
Gur tháinig chugam ar ais

De chuimhní cinn
Agus an fear bán ag an doras
Agus ina theannta

Na buachaillí cúnta
Le seachadadh na hAoine sa mbaile,
Johnston, Mooney & O'Brien.

Checkout Line

Standing there in the checkout line
Yesterday at *Morrison's*,
I pick up a random loaf in the tray.

I squeeze it gently
Between my thumb and ring finger
And then the memory

Of it all comes back to me:
In white, an old man
Standing at the door

And with him these young lads
On the Friday's home-delivery
Of *Johnston Mooney & O'Brien.*

Jezero

I mbaile Jezero san earrach,
Tá an ghrian ag taitneamh
Agus na héin ag ceiliúradh.

Luascann sraitheanna d'arbhar
Thar na cuibhrinn sa má. Tógann fear
Cliathán an chnoic le speal.

Ag an mbun, ritheann an Drina leis
Go beo tiubh,
Go glas.

Thall sa gcoill,
Ar chrann darach, tá crochtín
Is éadach mná ag éirí tirim sa ngréin.

Jezero

In Jezero in the spring,
It's all sunshine.
The rows of corn ripple
Across the fields. A man
Climbs the hill with a scythe.

At the bottom, the Drina flows on,
Green and fast.
Over in the forest,
On an oak tree, there's a swing
And somebody's drawers hanging on the line.

Cumadóireacht

(après Ian Duhig)

De réir an Duinnínigh, nár sáraíodh riamh mar Ghael
Maidir le cumadóireacht sanasaíochta de,
Séard is gealach ann *'the white circle in a slice*
Of a half-boiled potato, turnip etc.', agus réalta
Blár ar chlár éadain beithígh, agus grian
Grinneal nó tóin locha nó tobair.

Má deirim leat más ea go bhfuil do ghrua
Mar shlis de sceallán gan a bheith bruite go leor,
Go bhfuil dath do ghruaige mar thóin
Locha nó tobair agus go bhfuil i lár do dhá shúl
Blár beithígh, níl ann ach go bhfuilim ag iarraidh
Gean a thabhairt duit i gceart, de réir an Duinnínigh.

From the Gaelic

(après Ian Duhig)

According to Dwelly, that Strathspey-and-pibroch-loving Sassenach
Who settled here and came to teach the Gaels a thing or two
Concerning their language, one of the words used for moon
Means a greyhound or paunch, a loin and kidney also.
The sun, meanwhile, is the bottom of the ocean,
Or so Dwelly says, or a burn or a loch
And a star's a mackerel or soil or a robust man.

Well ma-thà, m' eudail, if I say that your face
Is like a robust greyhound's loin or kidney
And your hair's as dark as the floor-bed of Loch Ness
Or the very pupils of your eyes
Are like landed mackerel or *Schaefchenwolken*,
All I mean is: I'm trying, don't you see,
To describe you just so, according to Dwelly.

FROM BEARTAN BRISTE /
BURSTBROKEN
JUDGEMENTSHROUDLOOMDEEDS
(2011)

Beartan Briste

Tha na beartan briste
Ri ceann an taighe
'S a' bhrèideag leatha fhèin a-staigh

Ri tac an teine,
Balbh, ciùin,
A' dol bhuaithe

San t-suidheachan
Ris an dalltanachd
Ris an Leabhar,

A' feuchainn ris na briathran fad' ud
A dhèanamh a-mach
Air a beulaibh sa chlò mhòr.

Burstbroken Judgementshroudloomdeeds

The burstbroken judgementshroudloomdeeds are burstbroken by the endhead of the homehouse and the littlenapkinsailwifie on her own at-homeinside by the tacksupportfire, dumbsilentatpeace, calmgentle, fadelosing it in the pewseat, going darkblind with the goodbook, trying to thinkmake out those longfamiliar victoryoathverbsayingwords in mouth-sidefront of her in the largeHarristweedprint.

Altachadh

Air ais aig an taigh
Còmhla ris a' bhodach
Ris na h-uighean air an slaopadh
Agus gun ann ach an slugadh
A bh' ann bho shean gun euradh

Agus an dèidh dhuinn crìochnachadh,
Mi fhìn gun a bhith 'g èirigh
Ach, air a chaochladh, a' fuireach
Air ais aig a' bhòrd, ri altachadh
Airson 's gun do dh'fhalbh e mu dheireadh.

Jointmovementgracegiving

Back at the homehouse bothtogether with the halfbottlespectreoldcodboy at his sluggishpoached eggs and nothing in it there but the gulpdevourswallowing that's been there so long and forallthatafter we had finished, me not getting up but, quite the deathchangeopposite, staywaiting back at the table, jointmovementgracegiving that it/he had gone at last.

141

Tràth

Air ais ann an taigh-'n-aifrinn
Air an dèanamaid frithealadh tràth,
Siud mi fhìn air mo ghlacadh
Eadar na dhà cò a bu threasa
Na gathan a' nochdadh an sin gun fhiosta
Tron uinneig ghlainne dhathte,
Na bha de shluagh an làthair
Nan tàmh nan ìomhaighean
Gun charachadh an aghaidh
Nan creag a' sileadh
No a' tuiteam ris an làr
Le trasgadh is dìth na h-àile.

Earlymealprayertimeonce

Back in the masschapelhouse where we childbedserveattended early-
mealprayerltimeonce there I am feelcaught eitherbothbetween which is
the stronger of the two, the arrowbarbstingknotrays which would
nakedviewappear therethen suddenlywithoutknowing through the
colourstained glass recesswindow, how many spiritfolk were livevicto-
ry-locationpresent dwellsleepresting as ghostcountenanceimagestatues
without moving faceagainst the rocks rain-dropweeping or duskdawn-
chancefalling to the earthcentreground with thirstfasting and diewant of
windscentair.

Dol a Laighe

A' togail ceann
Bho mo shaothair is a' coimhead a-mach
Air an uinneig is a' chathair aice fhèin
Eadar mi fhìn 's a' ghrian
'S i dol a laighe 's na dathan
A' mùthadh air a cùl, siud nam fhianais
Air èiginn carraig
No 's dòcha gur e th' agam eilean beag
A' gobadh a-mach às an linne
Nach nochd ach ainneamh
Ainneamh nuair a bhuaileas
An solas ud ball àraidh
Ri dealachadh-nan-tràth
Fada bhuainn air fàire.

Sinking

Headend upbringlifting from my diseasedmanpunishertidalislandbirth-painsoeuvre and preservewatching out the window and her thronechair eitherbothbetween me and the seabottomsunland going down and the dyecolours changeperishing behind there in witnesspresence just about is a cockroachknotheadlandrock or maybe a youngwee island gobsticking out of the centurysound that appears only rarely when that moon phaseknowledgelight hits a particular peniscablebowlspot at onceearlyprayermealpartingtime farawaywanting from us on the horizon-ridge.

Lorg Eile

Air ais cuide ri càch anns a' chlachan,
Chaidh mi gan lorg anns a h-uile bad
Mar gum b' ann air falach-fead.

Chuir mi ceist air an fheadhainn
A bh' ann o chionn fhada. 'S e thuirt iad:
Ghabh iad an t-sligh' ud!

Another Thighcrutchwomanoffspringtrace-consequence

Back with the rest in the goggle-eyestonechurchyardtesticlevillage, I
went to tracelook for them in every flockbushspot like at
whistlehidenseek.

I asked them that were there in it a longtimeback and they said: *they
singburnholdwent that journeyway!*

Dachaigh

Air chèilidh, chan e,
Air chuairt, aig an tè a bh' ann
Ann an roinn leatha fhèin is glas oirre
Gus beag nach do chaill i a teanga,
Thòisich i a' bruidhinn
Sa chainnt ud nach do dh'fhairich mi fhìn
O chionn aon dà fhichead bliadhna

'S i a-mach air a' chloinn 's an fheadhainn
A thigeadh a-steach is a-mach
Is na làithean a bh' ann o chionn fhada
'S b' e 'n rud a chanadh i, gun euradh,
Mar gum b' eadh na mhanadh:
Mo mhallachd orra!
B' fheàrr leam gun robh mi dol dhachaigh.

Househome

Pilgrimageceilidhing, no cyclevisiting the old one in a divisionward of and on her own under grey locks so much so she nearly lost her tongue, she started to quarreltalk in that speech i never feltheard in o onesome severaltwoscore years, going on about the childfamily and the ones who'd come in and out and the days long ago and she would singsay without fail like an apparitionmantra: *To hell with them! I wish I was diegoing househome!*

Cuideachd

Chaidh mi a chèilidh
Air mo chuideachd
Anns an taigh-fhaire.

Nochd iad
Is an dèidh sin
Dh'fhalbh iad às an t-sealladh;

Ri bròn;

An uair sin gun ghuth
'S an uair sin a-rithist *Soraidh*

'S iad a' gluasad leotha gun sgur
Bhon dàrna seòmar
A-steach don fhear eile.

Ancestorcompanyalso

I went to pilgrimageceilidh on my ancestorcompany in the care-wak-inghouse. They nakedappeared and then went out of sight; mourning; then without a bardtauntvowelvoiceword and then again *sorrybye*, moving ceaselessly from the onesecond room into the next manone.

Dealbhan

Tha 'n Dùbhlachd a' tighinn.
Chan fhada gum bi i air tighinn gu ceann.
Tha 'n caochladh ri fhaireachdainn thall 's a-bhos.
Bidh thu ga fhaireachdainn san dealbh
Air a' mhìosachan 's air a' chriosan-leacadain
A chaitheadh a' chailleach
Nuair a bha i trom leam fhìn
(Mar a chunnaic mi ann an dealbhan)
An crochadh ri cùl an dorais,
Meas agus toradh,
Na h-eòin 's na craobhan 's na sìtheanan
A' trèigsinn air cho fann ann an dath.

Poorghoststatueimages

The decemberblackness is coming. It won't be long before it's headappeared. The deathchange is perceptible here and there. you feel it in the poorghostcountenancestatueimage on the month-calendar on the apron heroldwifiewitchself wastewore when she was heavypregnant with me (as I've seen in poorghoststatueimage-pictures) hanging by the back of the door, lovefruit and fruitmilking-supply, the birds and the richfoam-cloudrealationbushbranchtrees and fairlyhillockflowers abandondiefading ever so feeblefaintly in dyecolour.

An Duineachan

Seall an duineachan
'S e a' mùchadh ris fhèin
'S a' cur stad air càch

Mar a leigear leis
Tuisleadh is aomadh mu seach
Mu na ceumannan

Is tuiteam bho dheireadh air a' mhàs
Agus, air a dhà chois,
Brògan-garbh a' bhodaich.

The Wee Mannie

Showsee the wee mannie extinguishmuttering to himself and abode-stopping the rest as he's allowed to stumble and leanbulge about turns on the limppathsteps and duskdawnchancefall at endlast on his thigh-buttocks and on his legfeet the halfbottlespectreoldcodboy's rough brogueboots.

Gathan

A' siubhal air ais dhomh
Sa Chuan Sgìth,
Chunnaic mi mar lasair
Eadar dà thaigh-solais
Losgadh air an uachdar
Agus de ghathan a' boillsgeadh
Nam faileas
Ann am blobhsag a' bhodaich.

Sheafspokesunbeamdarts

Deathseektravelling back in the tired Minchoceanbay, I saw like a flash-flame eitherbothbetween two moonphaseknowledgelighthouses shoot-burning on the woofcreamsurfacetop and sheafspokesunbeamdarts gaudyglittering like a shadow in the halfbottlespectreoldcodboy's oil-skinblouse.

Eadar Druskininkai 's Vilnius

A' tighinn à Druskininkai Didòmhnaich,
Dh'fhalbh sinn gu lochan air oir na slighe
Far am biodh an tuath còmhla
Ris na caileagan-achaidh
'S na sgùlain gus cur thairis –
Morel, chanterelle, helvella –
Nam falach am feadh nam beithean 's nan giuthas.

Agus nuair a bha mi fhìn rèidh
'S a rinn mi stad is tionndadh,
'S e na dh'fhairich mi ann ach sgal
Mar gum b' ann mar obair an taibh
'S e ri suathadh anns an tràigh
'S an làn ìseal
Feasgar fad' air ais aig baile.

Eitherbothbetween Druskininkai and Vilnius

Coming fromoutof Druskininkai on Sunday we went for a pondpiss on the edge of the roadway where the northcountryfarmfolk used to be bothtogether with the fieldgirlmushrooms and the baskets about to overflow – morel, chanterelle, helvella – hidden amongst the beeches and pines. And when I was readydone and I abodestopped and turned, I smellfeltheard a calfsquallskirlyelp like the working of the western ocean rubnearing the strand and the fulltide low a long vespersafternoon away back in townvillagefarmhome.

Estancia

Chaidh e ga shìneadh fhèin
Fo na rionnagan a-muigh air a' phampas,
Air cròthadh leis na *guanacos* is na badan chaorach
Agus a' dùsgadh
Is a ghob cho tioram ri gradan.

Dh'fhairich e, fad' às,
Callan *martineta 's mara* mun phreas
Is langan *huemul* sa cheann a deas.

Estancia

He went and handbeginstretched out under the mackerelstars out on the pampas, fanksurrounded by the guanacos and the sheep flocktuft-places and waking with his gobmouth as jejunedry as hazardgrainsnuff. He smellfeltheard far away the constanthammershouting of martineta and mara round the wrinklebrierthicket and the breastbellowing of huemel in the wellshapedsouth headend.

Salon du Musée

Chaidh 'n t-saothair thall
(*Oeuvre sans titre*),
Ga taisbeanadh gu h-àrd air an làr-ìseal
Anns an ionad-*exposition*
A chur an alt a chèile
Gus an seasadh neach
Dìreach fad prioba-nan-sùl
Gus beachd a ghabhail
Bho astar àraid oirre
Gun charachadh 's na fir-faire
'S iad a' cumail sùil
Fad na tìde 's an uair sin
Gluasad seachad a cheart cho mall
Gun càil chruthaicht' a ràdh.

Salon du Musée

That diseasedmanpunishertidalislandbirthpainsoeuvre untitled on apocalypsedisplay high up on the earthgroundfloor in the exposition place was jointed together so an apparitionperson could stand juststraightup for the twinklingoftheeyes to sightconsider it from a certain pacedistance without moving and the wakecaremen keeping an eye all the tideweathertime and then moving past just as lateslowly without saying a blessed creationdesirething.

Iomairt

Sin e! Sinn a' faireachdainn
Guth sin a' bhodaich
Ag èigheachd a-mach
Air cho fann
Fhathast rinn aig an doras
Thar nam blianagan
Thar na linne,
Gar glaodhach air ais
An dèidh na h-iomairt' a bh' ann
Airson cuid na h-oidhche.

Rowingdangerplaycommotion

That's it! we hearsmellfeel the bardtauntvowelwordvoice of the halfbot-
tlespectreoldcodboy deathcrying out ever so feeblefaintly still at the
door across the yearmeadows, across the agesound, deathportentcalling
us back after all the dangerplaycommotionrowing for our night supper-
lot.

Saoghalan

Nach eil e leamh,
Chanadh neach,
Agus an saoghalan
Mar a tha e san latha a th' ann,
Thall na shuidheachan
A' sealltainn air *Parkinson*
Am balbh na h-oidhche dhuinn.

Agus nach math
Gu bheil e comasach
An dèidh sin 's na dhà dhèidh
Air crathadh rinn
Mar gun robh e feuchainn
Ri ràdh: *Soraidh!*
Soraidh slàn!

Livingageuniverseworldbodach

Isn't it sillytough, an apparitionone might say, and the livingageuni-
verseworldbodach like he is this weatherday, over in his pewseat
showwatching parkinson in the quietdumb of night. And isn't it good
that after for all that he can shakewave at us like he was trying to say: *sor-*
rybye! fullsafesorrybye!

Sreath

Sreath dheur den dealt
An crochadh ris an t-sreang-anairt

Eadar an gàrradh-crìche 's an taigh-dubh
Aig cailleach NicAoidh

'S, air a beul fòidhpe, leatha
Fhèin air an fheur, culaidh dà thobhta

Na h-aon lios, nach siubhail duine,
Tha fios, na broinn a-chaoidh tuilleadh.

Lineseries

A lineseries of teardrops of dew hanging on the clothes-line eitherboth-
between the endgardendyke and the black house of heroldwifiewitch-
self mackay and facemouth down, on its own on the grass, a two
turfwallknollruinthwart suitboatobject like onesome palacestallgarden
in which no manperson will deathseekwalksail god knows inwombside
her eitheranymore.

155

A' Chiad Rud

Air a cois bho mhadainn,
'S ann a nochd neach-altraim
Bho chuideachd Mhic a' Mhaoilein
A choimhead air a' chaillich a-staigh.
Chuir i seachad fad an fheasgair
Gun dad a ràdh cha mhòr.

Agus a-nis is an ciaradh air lom,
Siud i fhèin a' togail rithe
Sìos a' bhruthach,
A' falbh seachad
Air gach tuath 's i dol an lughad
Is an lughad fad na tìde.

First Thing

On her legfeet since morning, a macmillans nurse nakedappeared to preservelook at heroldwifiewitchself indoorsathome. She buryspent the whole of the vespersafternoon without saying hardly anynothing. And now with the greydusk on the barehorizon, off she goes with her down the slope, deathgoing past every northcountrypeoplefarm getting smaller and smaller all the tideweathertime.

156

Lignes Fausses

À l'étranger,
Fon talamh san oidhche
'S an taigh-seinnse dùinte,

Chuir mi ceist air fear a bha thall:
Cette place est libre?
Agus rinn mi suidhe

'S leig mi m' anail 's mo Chamus
'S *Le Monde* nam *passe-temps* rim uchd
Agus chaidh 'n ùine seachad,

Is thug mi fa-near gun robh mi air chall
Agus a-mach leam leis:
Est-ce qu'on peut changer?

Lignes Fausses

À l'étranger, undergroundcountry at night and the changehousepub
closed, I asked a man over there who'd been aroundover: *Cette place est*
libre? and sat and let my restbreath with my Camus and *Le Monde* for
passe-temps in my breastbrowlap and the leisurelifetimeseason passed
and I twigged I was *perdu* and out with it: *Est-ce qu'on peut changer?*

Bàn

Bha mi nam chromadh
Air a' cheàird agam fad an latha
San dorchadas, an tòir air na faclan
Air an Lìon
Air an annalair-uchd
Mar gun robh e nam dhàn 's nam dhual a-riamh.

Agus gun fhiosta,
Siud e Pangur Bàn e fhèin
A' nochdadh mun a' bhòrd
Agus, dìreach mar sin,
A' leum
Air an luchaig agam.

Whitefallowground

I was crouched at my tradeart all day in the dark, chasing words on the net on the brestbrowlaptop as if it was my poemfate and locknature always and suddenlywithoutknowledge, there's Pangur Ban nakedappearing by the table and just like that fightjumping on my mouse.

Draghadh

A' cur le gaoith 's a' draghadh
Air a' Chuan Sgìth, mi fhìn air a' chlàr,
A' glacadh is a' sgaoileadh,

A' tilgeil is a' tarraing,
A' dol mu seach,
Air mo thachdadh, ag aiseag.

Is tu fhèin ga stiùireadh
Le sùil agad air thoiseach
A' sgrùdadh na doimhneachd is nan dathan
Is do chùl rium fhèin

Is an fhairge cho mòr
Is nach tog thu leis an troimh-a-chèile
M' èigh san deireadh:
Lìon briste! Lìon briste!

Griefdragging

Buryputting with driftwind and troubledragging on the tiredmin-choceanbay, me on deckboard, catching and letting go, shooting and leavepulling, going from side to side, choking, ferryrestorationpuking and you guidesteering with your eye ahead studying the depths and the dyecolours with your back to me and the stormsea so great that you don't twiglift in the throughotherconfusion my deathcall in the sternend: *Burstbroken manylinenet! Burstbroken manylinenet!*

159

Feasgar Feann Foghair

Abair toirm
Feasgar feann Foghair!
An dùil an e th' agam
An tè a bh' ann
A' tilleadh rium air a rothar?

Chan e. 'S e th' ann ach siosarnach
An duillich mun t-slighe
'S mun chlacharan,
Gun a bhith a' socrachadh
Is a' falbh air feadh an àite.

A Feeblefaint Vespersafternoon in Autumnfall

Saytalk about a thunderrustlemurmuring a feeblefaint vespersafternoon in autumnfall! Wonder if it's the one who was there returning on her wheelbike? No. It's only the hissing of foliage by the journeyway and the stonechatpath, not settling and deathgoing all over the place.

Aisling

Alba bhuam air fàire,
'S ann a bhios mi gur faicinn
Gu cruinn fhathast bhon tobhta
Far an robh 'n teaghlach agam san làthair
Anns an aimsir a dh'fhalbh –
Fàs is beathaichean gun àireamh,
Am bearradh fada fo bhlàth
'S mo chridhe bochd fhèin ri leaghadh,
An saoghal coimheach
Duaichnidh 's bàn le chèile,
Balbh is bodhar
A leithid a cheumannan fodha
Na Thìr-fo-Thuinn
An aomadh a' Chuain Sgìth.

Dreamnightmareaislingwomanvisionpoem

O Scotlandalpinewhite farawaywanting from us on the horizonridge in
the offing I canwill see youall globepreciselyassembled againstill from
the turfwallthwartknollruin where my racefamilyhouse was battlesite-
victorylocationpresent in the epochseasonweathertime that has walk-
evacuated – wastegrowth and unthinkableinnumerable living brute
creatures, the long cuttingridgeprecipice long in warmgreenfieldconse-
quencebloom and my poordearsadsick heart nearmelting, in a safealien-
fierce livingageuniverseworld terribly uglydeformeddismalblack and
fallowgroundvacantwhite bothtogether, dumbatpeacequiet and heavy-
deafstagnantsilent so many limpsteppathdegrees below, a tireeatlantis
underthewavesland in the fallingsurface of the tiredoceanMinchbay.

FROM **CEANGAILTE / ATTACHED**
(2011)

Basho

cá bhfuil cith an gheimhridh?
le scáth báistí ina láimh,
filleann manach

where's the winter shower? with an umbrella in his hand, a monk returns

an fómhar – na héin
agus na scamaill féin
ag éirí chomh sean

autumn – the birds and the very clouds growing old

ina shíneadh níos airde
ná an fhuiseog in ard na spéire,
bealach sléibhe

stretching higher than the lark up high in the sky, mountain pass

uaigneas an gheimhridh,
an saol ar aon dath,
an fhuaim ag an ngaoth

winter loneliness, the world all the one colour, the sound of the wind

os cionn an mhóintigh
gan a bheith ceangailte le rud ar bith,
fuiseog ag casadh

above the moor, not attached to anything, a lark singing

Buson

bláthanna ag meán lae,
feadh oiread na fríde,
búir na farraige

flowers at midday, for an instant, the roar of the ocean

am luí na gréine,
scaoileadh faoin gcoileach coille
gar d'fhuarán an tsléibhe

at sunset, shooting at the woodcock near the mountain spring

maidir le gealach!
stadann an meirleach
le amhrán a chasadh

what a moon! the robber stops and sings a song

báisteach ar chaonach
is na laethanta ag filleadh
a bhí chomh geal san am a caitheadh

rain on moss and the days returning that were so bright once

cith san earrach,
díreach dóthain chun maorach
an chladaigh a fhliuchadh

shower in spring, just enough to wet the shellfish on the shore

165

Issa

ar uaigneas sa ngeimhreadh,
ag éisteacht leis an scarthanach
leis an mbáisteach faoin sliabh

in winter solitude, listening in the dawn to the rain on the mountain

ar maidin,
rud beag den cheobrán –
an t-earrach buailte linn!

in the morning, a little drizzle – spring is here!

círín an choiligh
ag sileadh síos go séimh –
báisteach an earraigh

the cock's crest dripping gently – spring rain

dreancaidí mo bhotháin,
chomh hálainn
ina gcodladh liom féin

the fleas in my hut, so lovely sleeping with me

oíche ghearr sa samhradh,
an féar faoi bhláth –
siosarnach

short night in summer, the grass in bloom – rustling

FROM TRÌTHEAMHAN / TERCETS
(2017)

thig nam ghaoith!
ach carachadh
cha dèan a' ghealach

come here to me! but move he won't, the moon

an t-earrach is na sìtheanan
a' togail ceann
air an uaigh sa bheil mo leannan

in spring the flowers appear on my lover's grave

tobhtaichean mun chùl-chinn –
cha tèid aig a' ghrèin
air am blàthachadh ann

ruins on the common grazing the sun can't warm

air an tulach na h-uain
agus feannagan air feannagan
a-nis agus an t-earrach ann

on the hill the lambs and hoodie crows on the lazybeds now that spring is here

an t-Iuchar –
cuileagan a' sgaothalaich air uachdar
lochan-uisge bodhar

in July, flies flying about the surface of a stagnant lochan

madainn – sneachd' air cluigein
a' biathadh nan eun
an crochadh ris a' challtainn

morning, snow on the catkins feeding the birds hanging off the hazel

faothachadh fhèin!
a' chiad tùd sa mhadainn –
uiseagan a' seinn

ah relief! first fart of the morning, larks singing

bonnan-ceò san fhionnairidh,
uidh air n-uidh
an saoghal a' dol às an t-sealladh

foghorn in the evening, little by little, the world going out of sight

an aon cheòl air cùl an taighe –
cailleach-oidhche sa choille
's coileach-gaoithe ri càil na maidne

same old music at the back of the house – owl in the wood and weather-vane in the
dawn

a chlisgeadh, cearc-fhraoich
air èirgh 's a' falbh cho luath
's cho dlùth ris an talamh

startling me, a grouse rising up and going off so fast and so close to the ground

an raineach ag èirigh mu dheireadh an earraich
taobh ris an Linne Shlèitich
na h-aon tuil-ruadh

the bracken coming up at last at the end of spring beside the Sound of Sleat like a
deluge from the Red Sea

air ceum, rèidh 's ciùin,
air slighe làn shòbhragan
a-nis is an Cèitean air tighinn

out for a walk on the path, all easy and quiet, full of primroses now that May is here

caora na laighe
ri taobh an rathaid – dìreach mìle
air fhàgail den t-slighe

sheep lying by the side of the road – only a mile of the way left

air an fhàire,
ris às dèidh an uisge –
sèidrich na muice-mòire

on the horizon, visible after the rain, the whale's blowing

an taobh thall na beinne
bloighean de chainnt a' bhaile
am beul na h-oidhche

on the other side of the mountain, fragments of village talk as evening comes

agus an tart anns an tìr,
na h-eòin sa mhadainn a' tighinn beò air
an driùchd air bàrr an fheòir

drought in the land, the birds in the morning living off the dew on top of the grass

na bileagan-feòir air lomadh
às ùr a' sgapadh air falbh
's a' fàs mar a dh' fhàs a-riamh

the blades of grass freshly cut and blowing away and growing as ever

FROM CUALA, DOTHRA / THE DODDER IN SPATE (2021)

fad m'amhairc ó Cheann Bré
ní hionann díreach agus inné,
an Mhuir Mheann ina báinté

as far as I can see from Bray Head not exactly straight up like it was yesterday, the
Irish Sea dead calm

gabhann an LUAS thar bráid,
titeann duilleoigín gan fuaim dá laghad,
totsu! anuas ar an tsráid

the LUAS goes throatpast fast, a leaflet falls without the slightest sound, totsu!
down on to the street

thall uaim, nach bhfuil sin díreach álainn –
í féin agus ar a cúl dís Ó Cualann,
Dioghais agus Málainn

over there, is that not just beautiful – herself and behind her the Sugar Loaf, the
Little Sugar Loaf, Djouce and Maulin

ag lá ag dul chun moille
ach fós – de ghathanna gréine
os cionn Bharr na Coille

the day getting slowlate but still – all those sunbeams above Barnacullia

ar ais go Rinn na Mara
mar a ngabhamaid i mbun snámha –
nach cuimhin leat, a chara?

back to Seapoint where we used to go and swim – don't you remember, my old
friend?

fear le cois an chuain
ar Dhumhach Thrá ag baint na ngruán
leis an láchan Dé Luain

a man footbeside the curvebay on Sandymount Strand looking for cockles at first
light on Monday

ar Mhuirfín, an solas buan
ag teacht anall ó Dhún Chriomhthainn
ar an taobh thall den chuan

*on Merrion Strand, the light that never goes out coming from the Bailey on the
other side of the curvebay*

gan ann ach mé féin sa bhféinín
a ghlac mé féin an lá sin
ar thrá Chill Iníon Léinín

just myself in the selfie I took that day on the beach at Killiney

na bréagáin Lá Nollag Mór
agus Lá Nollag Beag ag dul siar
go beithilín Inse Chór

*all those artificial toys on Christmas morning and then between the New Year and
Epiphany going westback to the crib in Inchicore*

ar ais i bPáirc Ghleann Molúra lá lonrach
mar ar thug na Rovers bua amach
uair eile ar Dhroim Conrach

*backagain in Glenmalure Park on a glorious Sunday where Rovers beat Drums
another hourtime*

fál agus boladh géar
thart ar an láthair i mBaile an tSaoir
mar a ngabhadh muid ag baint na sméar

*a fieldwallhedge and a sharp smell round about the presenceplace in Ballinteer
where we used to go and pick smearblackberries*

ag fanacht leis an mbus – gan choinne,
nochtann sé de shiota gaoithe
síos feadh Sráid na Toinne

*waiting for the bus, suddenly it nakedappears with a chitsheetgust all the way
down Fleet Street*

i bhfíor na spéire, ag teacht leis
idir an dá sholas amach ó Dheilginis
is ar chúl na Muiglíní, an Cheis

*on the truehorizon coming into view at twilight between the two lights out of
Dalkey and beyond the Muglins, the Kish*

ar m'ais i mBewley's, ár *salon de thé*
mar a bhí níl ann ach inné
agus i naoi déag seasca sé

*back on my own in Bewley's, our salon de thé, like it was only yesterday and in
1966*

stadaim siar ar Shráid Grafton
faoi Shamhain –
boladh géar *Sweet Afton*

*I standstop westback on Grafton Street in November – the sharpbitterstale whiff of
Sweet Afton*

RI LINN GLASADH AN T-SLUAIGH

OVER A HUNDRED DAYS OF SOLITUDE IN THE HIGHLANDS (2021)

Luasgadh

Gàrradh nan Dreallag thall ud
An Caol Loch Aillse sa bhrìosan fhann,
Seall, ri briseadh an là
A' chiad char Fèill Bealltainn
Agus na dreallagan gun ghluasad
Gun char luath no moch no mall,
Gun luasgadh a-null 's a-nall
Suas sìos sìobaileag seòbaileag ann

Ach an glasadh air feadh na cruinne,
Seadh, air feadh an t-saoghail-shuain
Agus an saoghal gu lèir fo ghlais
Agus gun de dh'fhuaim ri faireachdainn
Ach a' ghàir a thogas a' chlann
Ri ruith ri fealla-dhà
Air ais is air adhart is air ais
An ceann, och, beagan mhìosan.

In the playground over there in Kyle of Lochalsh in the slightlight breeze the first twist-thing on Mayday holyday, the swings aren't moving fast or slow early or late, not swinging back and forth up and down and up and down at all with lockdown in place all around the globe and there's not a sound to be feelheard but the children laughing and shouting running having fun back and forth in, och, a few months' time.

ann an Camas Darach, tàrnach
gam mhosgladh às mo chadal-ceàrnach
is a' briseadh thall, màrnach

in Camas Darach, a thunderclap waking me from my snooze and breaking over there, an enormous wave

A Shaoghail

Seadh, seadh,
Nach e sin an dà là dhut a-nis,
A shaoghail 's a chruinne-chè –
'S lèir dhomh na dh'fheuch sibh ri cur an cèill
Agus clann mhic-an-duine gun fheum,
Chanadh neach,
A' dol aog is eug,
Mo chreach, air d' fheadh

Agus na bric a' falbh
Ris is leis an t-sruth
An Allt Caillte 's Allt Innis Nèill
'S Allt Dhuisdeil 's iad nan leum
'S nan lì 's iad gun ghuth
Gun ghabadh, balbh
Bodhar mu seach
Agus na h-ògain ri beadradh

Agus na h-eòin ri seinn
Bho ghlasadh gu eadradh
Agus na seilleanan an lùib nan geug
Bho 'n-dè no bhon a' bhòn-dè
'S Tòrr an Daimh is Ladhar Bheinn
Is na speuran gu lèir bhuam ris
Ris a' chamhanaich gun neul
'S ris a' chamhanaich an lùib nan reul.

Aye, aye, that's changed days for you now, lifeworld, universe – I can see what you were trying to say with mankind helpless and useless, one might say, decaying and dying, all about you and the salmon and trout going with and against the current in the burns at Allt Caillte and Allt Innis Nèill and Duisdale Burn, in spate and with not a sound, deaf-and-dumb-stagnant turns about and the saplings and the wee lambs frolicking and the birds singing from greygreen lockdawn to milking-time and the bees beambowbendamong the youthnymphbranches since yesterday or the day before and the hill at Tòrr an Daimh and the mountain of Ladhar Bheinn over there so clear in the dawn without a cloud and in the dusk beambowbendamong the stars.

Tràth

Dh'èirich mi tràth
Didòmhnaich ris a' ghlasadh
Is cha do dh'fhairich mi sluagh timcheall
Cruinn còmhla mar phoball
Bhuam ann an Cille Mhoire
'S mi dol seachad air mo shlighe

'S chunnaic mi bhuam an dèidh sin
Timcheall air na clachan-cinn
De lusan agus de shìtheanan
A' cromadh is a' lùbadh air a' mhadainn
Mar gum b' ann ag ùrnaigh
'S ri gàirdeachas gun ghuth.

I got up prayer-time-mealearly on Sunday during greygreen lockdown and didn't hear folk gathered around as a congregation over there at the church in Kilmore as I went past on my way and I saw then around the headstones all these plantweeds and knollflowers bending and bowing in the morning like they were praying and rejoicing without a voice-sound.

slaodach is cìreanach is gropach
mu mo chasan 's gun duine nam ghaoith
san Tiùrr madainn ropach

slowserrated wrack and channel wrack and bladderwrack around my feet and not a manperson windnear me at highwater at the Dornie on a stormy morning

Geugan

'S ann a chaidh mi sa ghlasadh
Anns a' Chèitean Earraich
Sìos gu Coill' a' Ghasgain
Far an deach mi 's mo laochan
Agus an tè a bh' ann
Uair a bh' ann leis na big
A dh'altachadh nan geug

Is an raineach suas ris na gàirdeanan
Is na h-ògain air feadh an àite
'S de chasan-searraich
Is de ghathan-grèine
'S iad a' boillsgeadh an lùib nam beangan
Is nam faillean is nan gallan
Is a' falbh ann am plathadh.

During the greygreen lockdown in spring I went down to the woods in
the Gasgan where myself and your man and herself went once with the
wee ones to stretch our nymphraybranchlimbs and the bracken up to
your oxters and the wee twiglambs all over the place and the foalfoot-
sunbeams and springsproutrays of sunlight beamgleamglittering beam
bowbendamong the boughbranches and young scionsuckersapling
shoots and going off in a puff-flashglanceinstant.

an Sporan, a' Bhiodag agus am Breacan
a' nochdadh is a' dol à sealladh am badeigin
eadar na nèamhan agus Àrd nam Meacan

Alnitak, Alnilam and Mitaka nakedviewappearing and going out of view
somewhere or other eitherbothbetween the heavens and Àrd nam Meacan

Tulgadh

Plathadh eile 's an glasadh ann fhathast:
Bealach na Bà gu h-àrd ri fàire
'S Còig Peathraichean Chinn Tàile
'S Pabaigh 's Langaigh gu h-ìseal
Sa chuan ag èirigh na fhairge
'S cinn-ròin a' tulgadh is a' turracail
Suas is sìos is air ais is air adhart
Is na faoileagan ri sgreuchail
Is na h-eathraichean ri port.

Another puff-flashglanceinstant and the greygreen lockdown still in place: Bealach na Bà up there on the horizon and the Five Sisters of Kintail and Pabbay and Langay down there in the harbour of the oceanbay risebecoming a stormy sea and buoys like seals' heads rolling and rocking up and down and back and forth and the whitewave-crestgulls screeching and the boats storm-tied.

na chlisgeadh is na thlachd le chèile – meannan-adhair
air mo shiubhal sa Mhonadh Mheadhanach feasgar
is de mheanan 's de ghaoirean air feadh an stadhair

both a shockstart and a pleasant surprise – a snipe on my deathseekwalk in Monadh Meadhanach this afternoon and all the sheepshit and cowshit on the sheep-and-cattle-track

Aisling

Dh'fhairich mi nam dhùisg nam aisling
Nam shìneadh air an Druim Bhàn
Agus a' cur fallas ris a' ghlasadh
Ri beul gorm an là san taobh eile
Den ghort, prasgan fodham nan sgalagan
Fon ghrèin a' sgoltadh nan clach
Rin cuid luinneagan bho mhoch gu dubh
'S iad a' cur chan ann ris a' mhòine
No ri cartadh no fasgadh a' chruidh
No glanadh a' bhaile 's a' chùil
No ri buain na rainich no càil
Ach ris a' chanach fo mo spòig.

I feltheard awake in my night-maredreamvision laid out on the back-ridge at Druim Bàn and phallus-sweating early in the blueblack morning in the greygreen lockdown on the other side of the cornfaminefield a flockgang under me of slaves under the sun splitting the testiclerocks at their working songs from earlydark to blackdark not at the peats or cleansedriving or shadowsheltercleansepenning cattle from the township common grazing or gathering bracken or cabbage or any strangthdesirething but picking the cotton under my feet.

ann an Caradal eadar an dà bhìgh
san tobhta far an robh 'm bodach,
och! fàileadh ud lus an rìgh

in Morsaig in the space between the outer door and kitchen door in the turfwall-ledgeruin where the old mutchkinsealcodghostmanwas, och! that smell of thyme

Stad

Giùlan ann an Cille Mhoire
Sa Chèitean is an sluagh
Gun a bhith cruinn

Ach ann an sreath
'S toirmeasg air seinn
Ri linn a' ghlasaidh

'S a h-uile duine
Nan seasamh-soraidh dìreach
Gun ghuth, nan tost

Agus, ga bhriseadh,
Seall, a' dol seachad
Is an uair sin a' stad

Is an uair sin a' falbh
Tiotan bhuainn, am post
Air a cheann-turais thall ud

Air an taobh eile den challaid
Air a chuairt mar a bha riamh
A' liubhairt bho thaigh gu taigh.

A standingbiercarriagefuneral in Kilmore between springtime and summertime in May and the crowd not gathered round but in a long furrowswatheflockline with playsinging prohibited in greengrey lockdown and every manperson standing straightjust without a bardtauntwordsound, in silence and, breaking it, going past and that hourtime then stopping and that weatherhourtime then going off a wee bit from us, the post on his business over there on the other side of the elegyfence on his rounds as ever delivering from house to house.

Rathad Buan

Air giùlan bràthair-cèile
Dhòmhnaill Aonghais nach maireann
Agus gann duine beò 'n làthair
Ann ri linn a' ghlasaidh,
Fad na slighe sìos
Taobh ris an rathad-mhòr,
Seadh, an rathad buan ud
Air a bheil e a' dol seachad
Eadar a' Chille Mhòr is a' Chille Bheag,
De dhaoine 's de chraobhan
A sheasas is a sheargas
A h-uile darnacha slat a' nochdadh
Mar charaidean is mar chàirdean
An urram dhan fhear nach maireann,
A' cromadh is a' lùbadh fon oiteig
A' sèideadh gu ciùin far na Linne.

At the standingbiercarriagefuneral of the brother-in-law of Donald Angus RIP with hardly a living soul battle-fieldsitepresent forduring greygreen lockdown, all the way down beside the main road, aye, that long, straight road they go down eitherbothbetween Kilmore and Kilbeg, all those menpeople and branchtrees that standuendure and decay as relationfriends and friendrelations paying respect to the deceased nakedviewappearing every couple of yards as relationfriends and friendrelations paying respect to the deceased, bending and bowing in the breeze blowing silentgently from the Sound.

a' tuisleadh a' tilleadh dhomh thar an Starain
's a' tuiteam air mo dhruim-dìreach, os mo chionn
gun fhiost', an Crann-arain

stumbling returning over the stepping stones and falling on the flat of my back, above me suddenlly, the Plough

Cuideachd

Agus cuideachd ri linn a' ghlasaidh
Feasgar anns an Àth Leathann
Far an tigeadh iad
Cruinn còmhla ri saoirsneachd,
A' càradh is a' togail
Is ag ùrachadh, seall,
Bothan nam fear falamh
'S a h-uile duine
Air ais a-staigh leis fhèin
Mar iomadh fear eile.

And friendcompanyalso forduring greygreen lockdown in the afternoonevening in Broadford where they used to gather door-frameround at libertyjoinery, turnmending and rearexcitelearnbuilding and greenrenovating, showsee, the empty men's shed empty and every manperson back inside at home on his own like many another manone.

air m' ais ann an Cùl nan Cnoc
is a' cromadh rud beag far an toirinn mo mhac
iomadach turas giomach-goc

back in the back of beyond behind the hill at Cùl nan Cnoc and a wee bit stooped where I many journeytimes I used to take my son piggy-back

Cuairt

Dh'fhalbh na cuileagan-beaga
'S luchd nan làithean-saora
'S an luchd-turais mu dheireadh
Agus an glasadh ann fhathast.
Feasgar chaidh mi cuairt
Eadar a' Chlachaig is an Fhaoilinn
Agus chunnaic mi bhuam Iain Aonghais Dhòmhnaill
Agus e air a' ghlùin ris a' mhaorach
Air a' cheann thall
Eadar Sgeir nan Gillean
Agus Eilean nan Caorach
Dìreach mar a bha e riamh.

The midgies have gone and the last holidayer and visitor at last and grey-green lockdown is still here. In the evening I went round the shore from Clachaig to Faoilinn and I saw in the distance John Angus on his generation-knees at the shellfish at the far end between the skerry and the island like he and it always was.

ladhran-tràghad a' sgiabadh
eadar a' Chlachaig is an Linne Shlèiteach
is an gaineamh geal ga shiabadh

a common sandpiper weather-breakdartdashing eitherbothbetween the shore and the Sound of Sleat and the white sand driftsweeping it and being driftswept

Seirm

Aig meadhan-latha,
Na geòidh-ghlasa sa gheamhar
Anns an achadh-bhuana
Eadar a' Chille Bheag is a' Chille Mhòr

Is iad nan stad gun char tiotan
Mar gum b' eadh nam poball
A' cromadh an cinn
Ri linn seirm Clag an Aingil.

At mid-day, the greylag geese in the blades of corn in the harvest-field
between Kilbeg and Kilmore standing without moving for a wee while
like a congregation bowing their heads at the sound of the Angelus Bell.

na mo shìneadh gu sona sunndach
anns a' ghàrradh air a' Chruard as t-earrach
is air mo dhùsgadh le seillean-lunndach

stretched out in the walldykegarden in Cruard and spring and woken by a
drone bee

Frasadh

Ann an Àird Shlèite ris a' ghlasadh
Anns an fhèath dhubh 's gheal,

A' laighe gun fhiost' air an lot
Agus an sìol ga fhrasadh

Is iad a' sealltainn mun cuairt orra seal
'S a' falbh, sgaoth ghèadh-got.

In Aird at greengrey lockdawn in a dead calm, landing suddenly on the croft where the seed is being showerscattered and showlooking around for a while and leaving, a flock of brent geese.

far an robh Clann 'icMhuirich
an Ostaig air an tuath,
deanntagan 's an suirghean-suirich

where the bards and Clan MacPherson were in Ostaig on the northcountrypeople farm, stinging nettles and burdock

Imrich

Didòmhnaich agus an glasadh ann,
Chaidh mi seachad air Cille Mhoire
'S gun ann de dh'fhuaim
Ach na sgothan ri gliong gliong air chruaidh
Mar chaolach-aifrinn
'S mar cheòlain air amhaichean a' chruidh
'S an sluaigh a' triall air an imrich
Air Àirigh na Suirghe
'S air an Àirigh Fhraoich
Air ais anns an àm a dh'aom.

On Sunday in greygreen lockdawn I went past the church in Kilmore
and the only sound the shelteryachts clinktinkling hard at anchor like a
mass bell or the little bells around the cows' necks and folk deathtravel-
ling and migrating to the shieling back in the old days.

cha tug mi riamh roimhe fa-near
dha na crannaibh ud an Cnoc an Fhùdair –
gaoth an-ear

I never noticed trees before on the hill at Cnoc an Fhùdair – east wind

Gainmheinean

Là dubh dorcha, gu cruinn
Ann an Cille Mhoire 's an glasadh ann,
A' cumail air leth 's fir an tòrraidh
'S iad a' siubhal 's a' tighinn gu stad,
Bha mi dìreach an dèidh sin
A' coimhead bhuam agus thall ud,
Bha na bàirlinnean a' briseadh
Air na bodhachan 's air tìr-mòr,
Gainmheinean Mhòrair
Cho geal ri lèine-aifrinn.

On a dark black day, gathered around the churchyard in Kilmore in greygreen lockdown, keeping apart and the men in the burial procession deathseekwalking and stopping, I was straightup just after all that looking away and over there the removalbreakers were breaking on the breakerblinder-reefs and on the mainland the particlesandy-beaches of Morar as brightwhite as a surplice.

air chùl Àird Shlèite dhomh sa cheò stireach
agus damh-ruadh a' nochdadh is a' dol à sealladh
cho luath grad bhuam air an fhireach

behind Aird in the wispy mist and a redbrown stag nakedviewappearing and disappearing just as earlyfast-quicksuddenly over there from me on the top of the barren hill

Gun Chumhachd

Agus am foghar air tighinn
Agus an glasadh ann
Agus an galar bho shean
Agus bho dh'fhàgadh gun chumhachd sinn
Bho thàinig an doineann,
Ghabh mi sgrìob anns an Fhaoilinn
Far an rachainn daonnan
Leis a' chloinn gun tighinn
Air MacAonghais is MacFhionghain
Is an Dòmhnallach nan linn
Agus mi dìreach a' bruidhinn rium fhìn
Agus am builgean 's na bàirlinnean
A' bualadh air a' mhol mhìn
Is a' briseadh mu mo chasan.

With autumn having come in the greengrey lockdawn with the old disease still here and as we were left without power since the storm came, I took a walk on the shore at Faoilinn where I used to go always with the familychildren, not forgetting MacInnes and MacKinnon and MacDonald in their generationday, just straightup talking to myself and the bladderwrack bubbles and reefbreakers hitting the silky shingle and burstbreaking about my feet.

a' chlann air a' Chlachaig a' sadadh nan drùirean
agus an t-Sultain a' tighinn gu ceann
agus fad' às gu h-àrd langan is bùirean

the familychildren on the beach playing chuckie-stanes as September draws to a close and far off highloud braybellowing and roaring

An Imrich

A' siubhal dhomh san Fhaoilinn
Leam fhìn ri glasadh an t-sluaigh,
Chan fhairich mi de dh'fhuaim
Ach na geòidh nan sgaorr
A' gal *ràc! ràc! bir! bir!*
Gu h-àrd air an imrich
Agus toirm nan tonn ri tràigh fodham
Agus thall ud gusgal nan ròn.

Deathseekwalking on the shore at Faoilinn on my own in greengrey lockdawn, I don't smellfellhear any sound but the flock of geese crying and honking loudly on high migrating and the trampledin of the waves on the shore beneath me and over there the fetterfrotherseals' filthwailing.

air a' Chlachaig, iad cho coma cò aca –
a' chlann a' cluich agus mun cuairt orra
feannag is Coinneach Dubh a' Chaca

on the shore at Clachaig without a care – the clanchildren playing and circling round them a lazy-bedhoodie-crow and a skua

191

An Lùib nan Geug

Ghabh mi cuairt leis fhèin
Ris a' ghlasadh ann am Barabhaig
Agus bruach Allt na Bèiste
'S e a' siubhal seachad na dheann
'S mi fhìn a' dol far na coise sa bhoglaich
Air feadh an àite gun fhiaradh

Agus b' fheudar dhomh dol air mo ghlùin
Agus cromadh an lùib nan geug
Is nan gasan os mo chionn
'S iad a' sìneadh a-mach fa mo chomhair
An uair sin agus cha mhòr
A' beantainn ri bàrr an uisge.

I went for a roundwalk with himself in greengrey lockdawn to Baravaig
and the clumpbank of the burn at Allt na Bèiste deathseekgoing past on
a down-pourdash and I lost my feet in the boggy ground all over the
place all the time and I had to go on my generationknee and beambow-
bend among the nymphbranches and small young-manbranches over
my head and they startstretched out in front of me that weatherhour-
time then and almost touched the creamcroptop of the raintearswater.

sa chiaradh, och, a' chrith mheileach
a' cur orm aig Loch Nighean Fhionnlaigh –
càite 'n do dh'fhalbh an seileach?

*in the gloaming, och, shivering at Loch Nighean Fhionnlaigh – where have
all the willows gone?*

Là Eile

Là garbh ciùin eile sa ghlasadh
Agus an dithis againn a-staigh nar n-àbhaist
Agus na fuaimean a' dol a dh'fhairich sinn
Uair is a-rithist – an t-inneal-nigheadaireachd
A' falbh mun cuairt is mun cuairt,
Na soithichean a' tighinn gu stad
Leis an aon bhìog bheag mu dheireadh,
An coire ri gaoir is an impis goil thairis,
Allt na Bèiste na lighe bhuainn gun fhois
Is am fèath 's e 'g èirigh na dhoineann.

Another very rough and calmquiet day in greygreen lockdawn and the two of us indoors at home as usual and the sounds we've feltheard weatherhourtime and weatherhourtime again going – the washing machine going round and round, the dishes finishing with the same one last wee beep at last, the cauldronkettle shiverpainrumblehumming about to boil over, the burn at Allt na Bèiste over there in restless stagnating washingwaterspate and the gentle breeze rising up as a powerstorm.

och, a' suathadh ri maothan
ri taobh Loch Tiugh sa mhadainn,
de chuileagan umam nan sgaothan

och, brushing against a tendril beside Loch Tiugh in the morning, a swarm of flies around me

193

Ann an Aiseag

Agus gan ann ach beagan
An làthair ann an Aiseag anns a' mhadainn
Seach tòrr mar a bhiodh dùil
Ri linn glasadh an t-sluaigh,
Siud na fir-adhlacaidh bhuainn thall ud
Nan seasamh dìreach a' feitheamh
Gun ghuth 's gun charachadh
Ann an sreath ri taobh nan carbad

Ann an dubh 's liath
'S air an cùl, seall,
Ged nach biodh ann ach priobadh,
Grian an àigh ris
Air bàrr Beinn na Caillich
Is an uair sin a' dol à fianais.

With only a few aliveplacepresent in Ashaig in the morning and not
heaps as might be hope-expected in greengrey lockdown, there are the
funeralburial men over there from us just standing up straight wait-
watching without a bardtauntvoicesound or movement in a line in black
and bluegrey and behind them, showsee, even if only for a twin-
kleglimpsemoment, the joyglorious sun out on the creamcroptop of
Beinn na Caillich and that hourtime then going out of witnessview.

> lìontan, slatan, dubhain, sgùil is ruaim
> ri taobh Taigh Sheumais thall ud bhuam
> là balbh gun deò 's gun fhuaim

> *fillnets, penisyardrods, kidneyhooks, a scuttlescull and an alder-ruddle-*
> *fishing-line beside Hamish's House over there on a dead calm day without a*
> *breath or a sound*

Mun Dùbhlachd

Agus an sneachda bàn air nochdadh
Às ùr mu dheireadh thall
Air bàrr Beinn Sgritheall
Feasgar eadar àrd is ìseal
Ann an glasadh an t-sluaigh,
Seall, a-bhos aig bonn a' ghàrraidh
Gu dlùth ris an taigh,
Na cuiseagan den rainich
A bha fo bhlàth 's uaine
Dìreach an là roimhe
'S iad a' crìonadh is a' fàs liath 's ruadh
Mar bhàs na h-aon oidhche.

With the paleemptywhite snow having nakedviewappeared afreshnew at
long last over there on the creamcroptop of Ben Screel in the evening
eitherbothbetween high and low in the greygreen lockdown, showsee,
over here at the bottom of the peat-stackdykegarden warpnear the
house, the weedstalks of bracken which were in warmblossombloom
and green straightupjust the other day fadeshrinking and wastegrowing
bluegreen and redbrown like overnight death.

mu Loch a' Ghlinne feasgar ìseal sàimh,
air Abhainn a' Ghlinne fannan sèimh
a' sèideadh thairis air uisge-tàimh

*around Loch a' Ghlinne in the hazyquiet low afternoon, on Abhainn a'
Ghlinne a faint breeze blows across the stagnant rainwater*

Casadh

Chaidh mi cuairt anns a' ghlasadh
Agus thall ud an t-anart
A' plaightrigeadh is a' flagadaich
Agus na faoileagan ri glagadaich
Agus, ri raoic air Àrd Snaosaig, dà mhart
Agus na h-earbaill ac' a' casadh.

I went for a repetitionwalk in the greygreen lockdawn and over there the clothes on the line were flopflapping in the wind and the white-wave-crestgulls clackclucking and, squakroaring on the hill at Ard Snaosaig, two cows and their tails windswishing.

feasgar foghair air an t-slighe
air ais bho Dhal a' Bhile,
taigh-tughaidh 's bhon mhullach de shnighe

an autumn afternoon on the way back from Dalavil, a thatched house with a drip coming through the roof

Là Buidheachais

Ag èirigh sa ghlasadh Là Buidheachais
Ged a bhiodh an Dùbhlachd oirnn,
Fhathast, nach buidhe dhuinn
Gun sìde nan seachd sian ann
Ach, air a chaochladh, an solas
Thall ud air cho fann
A' boillsgeadh air na bruthaichean air tìr-mòr
Is a' faoisgneadh air cùl nan sgòth
'S an Linne Shlèiteach na fèath
'S lasair-choille ri ceilear
An lùib nan geug air crìonadh
Agus na neòineanan ris
Mu na duilleagan a' seargadh
Anns a' ghàrradh nar fianais.

Getting up in the greygreen lockdawn on Thanksgiving Day though the December gloom is upon us, still, the weather's nae bad but, au deathchangecontraire, the light over there however faint is beamgleaming on the hills and emerging as a heavenly body behind the clouds and the Sound of Sleat calm and a goldfinch concealchirping beambowbendamong the withered youthnymphbranches and the daisies out among the faded leaves ou there in the peat-stackdykegarden.

feasgar aig deireadh an Fhaoiltich
ann an Cùl nan Cnoc, làrach
de mhòine nam bodach mun sgaoiltich

on an afternoon at the end of January in the middle of nowhere at the back of the hill at Cùl nan Cnoc, the ruinsitetrace of the grassypeatspectreoldboys' moorpeat around the peat-tossing-and-drying ground

Sùgradh

San Fhaoilleach, air m' ais
Ann an Cnoc Armadail
Far an robh 'n tè a bh' ann
'S an dèanamaid sùgradh nar linn
Is an gàrradh fodham gu h-ìseal
Air a ghlasadh fad a' gheamhraidh
'S na coilltean air an gearradh
A' lobhadh is am fasgadh air falbh
Agus a' siubhal seachad, bus
Fada gun nochdadh, mall is falamh
'S an dithis againn, mo chreach,
Nar bodach agus cailleach.

During the cold winds in January and February, back on Armadale Hill
where herself was and we had fun in our generationday and the peat-
bankdykegarden below me down there greygreendawnlocked all winter
and the woods felled rotting and their shadowshelter gone and death-
seekgoing past, a bus a longtime not nakedappearing, slowlate and
poorempty and the two of us an old mutchkinsealcodghostman and an
old nunhag.

na h-uain a' ruith mu na ruighean
anns a' Chèitean air an Druim Bhàn
far an deach a' chlann len cuid uighean

*the lambs running about the shielingslopes in springsummerMay on Druim
Bàn where the familychildren went with their eggs*

Na Guthan

Ann am baile-bàn Bhoraraig
Là balbh 's t-earrach air lom,
Cha do dh'fhairich mi bhuam
Air mo shiubhal guth duine
Feasgar ach gròc gròc nam fitheach
Agus gurra nan cearc-fraoich
Agus mè mè nan caorach
Agus nuallan a' chruidh Ghàidhealaich
Agus glìtheag nam faoileag
Agus an rot air mol a' chladaich
Agus ròmhanaich is gàir a' chuain
Agus de dh'fheannagan air feannagan
Hi ù ra bhò rò hug èile
Ri linn glasadh an t-sluaigh.

In the cleared village of Boreraraig on a dumbdeadquiet day with spring barelooming, I didn't hearfeel over there on my deathseekjourney around me the bardtauntvoice of a manperson in the evening but the croaking of the ravens and sound of the grouse and the sheeps' baaing and the Highland cattle lowing and the cawing of the white-wavecrest-sea-gulls and the surf breaking on the shingle on the sandyshore and the distant roar of the oceanbay and all those lazy-bedhoodie-crows on the hoodie-crowlazy beds forduring the greengrey lockdawn.

far an rachadh an sluagh air an glùin
aig Bealach nan Sleuchd a' dol air aifreann,
mi nam stad is a' dèanamh mo mhùin

*where they used to go on their knees at Bealach nan Sleuchd going to mass, I
stop and have a pee*

Coisrigeadh

Bha dùil agam gun do dh'fhairich mi bhuam
A' dol seachad air a' chlachan
Thall ann an Cille Mhoire dhomh
Ri glasadh an t-sluaigh
'S e cho cianail balbh
Clann-nighean an sgadain
Agus balaich an iasgaich
A' toirt a-mach is a' gabhail an fhuinn
Agus aig an aon àm
Cuideachd bhon àm a dh'fhalbh
Na mnathan-luaidh còmhla cruinn
A' dèanamh gàirdeachas, ri sùgradh,
He 'n clò-dubh, he 'n clò-dubh,
Mo laochan fhèin an t-èideadh,
Ri sìneadh is ri baslachadh
Is ri coisrigeadh an aodaich.

I poor-creaturethought I feltheard over there going past the stonevillagechurch-yard on the other side in Kilmore in the greygreen lockdawn so dumbdeadquiet the herring girls and the fishing lads giving out and receiving the line of the psalm and at the onesame time ancestorcompanyalso from time past the waulking women rejoicing and frolicflirting, startstretching and cupclapping and consecrating the cloth.

aig Taigh Eòghainn, sliseagan-locair
air an sgapadh mun làr
far an cuireadh e ris air a shocair

*at Ewen's house, woodshavings scattered around the groundfloor where he
used to go at it nice and easy*

Dihaoine na Ceusta

Chì mi de bhailtean bàna,
Suidhisnis, Boraraig is Morsaig thall ud
Nam sheasamh mu rèiteach uaine
Dihaoine na Ceusta, bog balbh
Na là eadar dà shian
Agus glasadh an t-sluaigh ann

Agus na caoraich air fhuadan
Agus an Cuan Sgìth falamh de shoithichean
Agus mar uisge na stiùireach gu h-àrd
Ceiridh 's aon lorg-sgòtha
'S an iarmailt liath ghorm air fàire
'S grian an àigh ga dubhadh.

I see the white-empty homefarmtribevillages, Suishnish, Boraraig and
Morsaig over by standing around a green settlementclearing on Good
Friday, dead quiet on a pet day in greygreen lockdown and the sheep
exilewandering and the Minch poorempty of vessels and like a ship's
wake up high cirrus clouds and one contrail and the grey greenblue
firmament on the horizon and the glorious gravelsun
blackmourningeclipsing and blackmourningeclipsed.

> far an robh sinn a' spìonadh nam braoileag
> a chianaibh ann am Barabhaig
> bhuam, gliagail nam faoileag

> *where we were gathering whortleberries a while ago in Baravaig, over there the*
> *gulls' cries*

201

Là na h-Imrich

Tha Là Bealltainn ann
Agus an glasadh air sgaoileadh
Agus gun bhraon den driùchd
Ach rotach ann is fuachd
Is na dìtheanan gan sgapadh air feadh an àite
Mar an t-uisge coisrigte

'S bròg na cuthaige 's na h-ògain air tighinn
Is thall ud – èist! – an sluagh
A' togail na h-imrich às ùr
Is a' triall air a' Bhuaile Thodhair
Is air ais dhan Ruighe Bhuidhe
'S gu Loch Àirigh na Suirghe.

It's Mayday and the greengrey lockdawn is easing and there's not a drizzledrop of drizzledew but a northerly thickspeedgale and the cold and the knollflowers being scattered all over the place like holy water and the cuckoo and the bluebells and the seedlingtwiglambs have come and on the other side – shut up and listen! – the spirit-worldcrowd furnitureflitting again in a deathflockprocession to the summer cattle-foldshieling in Buaile Thodhair and back to Ruighe Bhuidhe and to Loch Àirigh na Suirghe.

dh'fhalbh an ceò 's an sgarrach –
thall ud bhuam Eilean Sgòrach
a' tighinn ris is an Cuan Barrach

the milkmist and freezing rain have gone – over there Eilean Sgòrach coming into view and the Sea of the Hebrides

Meall Dà-bheinn

Air m' ais air a' bhlàr a-muigh
'S glasadh an t-sluaigh ga sgaoileadh
Beag air bheag uidh air n-uidh,
Nach mi dh'fhàs cho mall
Anns an fhradharc nach lèir dhomh
Caora seach creag air a' chàrn
Air Meall Dà-bheinn bhuam thall
Ach na dhèidh sin, a' ghrian,
Seall, a' faoisgneadh mu dheireadh
Far cùl nan sgòth, breac a' mhuiltein
'S fionnadh-gobhair, os mo chionn
Ged nach biodh ann ach plathadh.

Back outside on the white-faced plainswardmoorbattle-field and grey-green lockdown easing little by little I've wastegrown so lateslowshort-sighted that I can't make out a sheep from a cliffrock on the cairn on Meall Dà-bheinn over there but then, the gravelsun, showsee, coming out from behind the horizonclouds, cumulus and cirrus, if only for a puff-flashglanceinstant.

na daimh a' togail nan ceithir
aig Rubha Shlèite cho luath ri beithir
agus fir a' dol seachad an creithir

the maststags moving fast at the Point of Sleat and men going past in a skiff

Ceangal

Agus glasadh an t-sluaigh ga sgaoileadh
Is a' falbh air falbh mu dheireadh
Mar a tha 's an sneachd' air bhàrr
Beinn Sgritheall thall air tìr-mòr,
Mhothaich mi bhuam a' dol seachad dhomh
A' druideadh ri beul na h-oidhche
Sa ghàrradh thall ann am Barabhaig
Do chailleach bun na h-ursainn
Is i a' cromadh air a glùin
Is ri còmhradh beag rithe fhèin
Os ìseal anns a' Ghàidhlig
Fad an t-siubhail is lusan an Aisig
A bha cho buidhe ris a' chonasg
Air seargadh is crìonadh
Is i gan ceangal ri chèile
Mu choinneamh na bliadhna romhainn.

With greengrey lockdown easing and going away at last as is the snow on
the creamcropsummit of Ben Screel over on the mainland, I feltnoticed
over there as I went past as night closed in in the peat-stackdykegarden
over in Baravaig the cailleach next door droopbending on her genera-
tionknee and muttering to herself in Gaelic all the deathseekjourney-
time and the daffodils that were so golden fadewithered and
shrinkdecayed and herself binding them together in preparation for the
year ahead of us.

sa Ghasgan bhuam na laoigh nan cotan,
fairich mi air mo ghàirdean gartan
agus thall ud na fèidh nan trotan

*in the Gasgan over there the calves in their pen, I hearfeel on my arm a tick and
over there the deer trotting*

Balbhadh

Thàinig samhla gam ionnsaigh
De na bodaich anns a' ghlasadh nan gillean
Aon deich air fhichead bliadhn' air ais
Is iad a' cur uachdar às ùr
Air an rathad-mhòr
Eadar Cille Mhoire 's a' Chille Bheag,
Nan seasamh cruinn mar air tòrradh
Timcheall air toll is a' coimhead
A-steach ann gun char gun ghuth
'S a' cnacaireachd ann an Gàidhlig
Fad an t-siubhail mu seach
Is na carbadan uile nan stad
Agus an uair sin balbhadh
Is an uair sin a' càrnadh suas
Làn shluasaidean de bhìth na bhroinn,
Ga sgaoileadh is ga lìonadh is ga rèiteachadh.

A ghostimage struck me of the old mutchkinsealcodghostmen as gillieboys all of 30 years ago resurfacing the main road eitherbothbetween Kilmore and Kilbeg, standing around like in a funeral-procession around a hole and looking into it without a stir or a bardtauntvoiceword and cracking away in Gaelic all the deathjourneyseekingtime turns about and all the biervehicles stopped and that hourtime then a muterest and that hourtime then cairnheaping up shovelfuls of tar and stuff bellyin it, spreadscattering it and dead-woodfilling it and reconciliationlevelling it.

fhathast air lom an dèidh a' chathaidh
ris an fhàd-bhuinn aig Tobht' Iain Bhodaich,
ablach de chorran-sgathaidh

still bareappearing after the snowdrift visible at the doorstep at Tobht' Iain Bhodaich on its own, an old carrionwreck of a pruning hook

Bòrd nan Ceann-uidhe

Cha tàinig a' *Waverley* riamh am-bliadhna
Ri linn glasadh an t-sluaigh,
Seadh, an soitheach-smùide mu dheireadh
A bhios a' seòladh nan cuan fhathast
A nochdadh air an Linne Shlèitich is Loch Nibheis
Ach is cuimhne leam bliadhnaichean a b' fhaid' air ais
Nuair a bha sinn uile cruinn còmhla
San aon soitheach air na làithean-saora
Sìos Uisge Chluaidh gu Loch Long is an Tairbeart an Iar –
Fruis! fluis! nam pleadhagan a' dol aig astar
Agus an uair sin a' fàs nas moille
'S an soitheach a' dlùthachadh ri tìr ris an uair
Agus an uair sin bòrd nan ceann-uidhe:
Là *Dunoon Kilcreggan Blairmore*
Is Rothesay Helensburgh Greenock là eile –
'S turas air *Maid of the Loch* an uair sin
Eadar am Bealach agus ceann an locha
'S faram nan loinidean a' dol suas is a-nuas
Is na rothan a' dol mun cuairt gun stad
Is mar a thuirt am bodach cumail ris an làimh dheis
A' dìreadh is a' teàrnadh ris na ceumannan
Agus meudachd mhòr nan crann-teine
'S boladh làidir na h-ola 's na crèise
'S na breacagan 's an t-ìm air a' bhòrd-ìochdair
Is a' coimhead a-mach air na tuill-phuirt
Air an t-saoghal fo thuinn umainn a' dol seachad.

The Waverley never came this year in the greengrey lockdawn, aye, the last ocean-going steamer that used to nakedappear in the Sound of Sleat and Loch Nevis but I remember years further back when we were all together in the same boat in the holidays – the kloosh! gloosh! of the flipperpaddles going at distancespeed and that hourtime then wastebecoming calmtardyslower as she landed on time and that hourtime then the destination-board: one day Dunoon Kilcreggan Blairmore and

Rothesay Helensburgh Greenock another day – doon the watter on the Firth of Clyde to Loch Long and a journeytime on the Maid of the Loch that hourtime then eitherbothbetween Balloch and the head of the loch and the rhythmclamour of the pistons going up and down and the wheels going round and round all the time and how the old man said keep right ascending and after-birthdescending the steps and the huge funnels and the strong stench of the oil and grease and the buttered bannocksconepancakes on the table down below and keepinglooking out the portholes at the lifeworld under the waves about us going past.

Adagio

Agus dìobardan 's gun dùrd ann
Ri linn glasadh an t-sluaigh,
Seall cailleach bun na h-ursainn
A' cromadh a chur uisg' air na sìtheanan
Gu mall agus le loinn
Agus an uair sin ag èirigh,
Na ficheadan bogha-froise
Cho mìn ri croisean-Moire.

In the whirligigwill-o'-the-wispheat-haze with not an atomsyllablehum in greygreen lockdown, showsee the cailleach next door middle-finger-droopstopping to teardropwater the fairy-knollflowers lateslowly and gardengladegracefully and that hourtime then rising up scores of rainbows as smoothdownyfine as gossamer.

an sileadh a' drùdhadh
air Tobhta Iain Bhodaich
agus ri thaobh, cruach air a rùdhadh

the shedrain soakseeping on Old John's thwartturf-wallruin and beside it, a peatstack peatstacked

Geòbadh

Air m' èirigh dhomh 's a' gluasad
Sìos gu cùl an taighe ri glasadh an latha
'S gun a bhith gu lèir na mo dhùisg
Ach rud beag na mo chadal,
Nuair a sheas mi gu leigeil mo mhùin,
Mhothaich mi fodham sa bhruaich
Mu mo chasan bròg na làrach
Is an comann-searraich a' fosgladh

Is ghabh mi orm gun robh sinn air ais
O chionn aon fhichead bliadhna
Mar theaghlach ann am Paris
Air ar dùsgadh leis na big
Is a' chàraid air an taobh thall,
Bodach is cailleach, an-àird
Mu-thràth le grian an àigh
'S a' toirt geòbadh air na còmhlachan.

Having got up and moving down to the back of the house in the grey-green lockdawn not clearpainfully awake but half asleep, when I went for a pee I noticed below me in the bank about my feet the bluebells and celandines opening and I let on we were back some severaltwenty years ago as a family in Paris wakened by the wee ones and the pair on the far side, an old codger and wifie, up and about earlyprayermealtime already in the glorious sunshine and opening the shutters out wide.

fo mo chois, bàirneach-eagach
aig Rubha Shlèite far an robh na bodaich
nam balaich ris a' chreagach

under my legfeet, slit barnacle at the Point of Sleat where the oldhalf-bottlesealcodboys were boys rock-fishing

Suathadh

Agus an glasadh a' falbh mean air mhean
Agus an tè a th' ann air fàlan thall ud
A' leigeil a cuid uighean le leathad
Le càch nan clachan air udalan
Didòmhnaich a' Ghuileagain,
Rinn sinn fhìn suidhe sa ghàrradh.

Och, a mh' eudail 's a rùin,
A dh'ùine gun a bhith fada,
'S ann a nochdas na cuileagan-beaga
Seadh, na cuileagan-mìne 's bheir iad suathadh
Gun fhois mar bho shean
Air d' aghaidh 's air feadh do chraicinn.

With the greengrey lockdown going little by little and herself over there rolling her eggs downhill with the others like rolling stones on Easter Sunday, we sat down in the peat-stackdykegarden. Och, my dear, in a little while the wee midgies will nakedappear and they'll hand-ringingafflictionstir-rub and enticebite your face and all over your skin as of old without letting up.

gu moch anns a' Chèitean agus ealt
air Loch Sgùrr nan Caorach air mo chuairt
is mo bhrògan a' suathadh ris an dealt

early in springsummer in May and a flockshoal on Loch Sgùrr nan Caorach
where I went for a walk and my shoes rubbing against the dew

Mar Chuimhneachan air Lawrence Ferlinghetti

Leugh mi ris a' ghlasadh an-diugh
Gun do shiubhail thu mu dheireadh
Aig aois a' gheallaidh gu leth
'S ghabh mi cuairt mun chùl-chinn
Is chunnaic mi bhuam taigh-solais Eilean Iarmain
A' soillseachadh mar chrann-tara,
A' nochdadh is a' falbh is thall ud
Gu h-àrd, Còig Peathraichean Chinn Tàile
Mar thu fhèin cuide ri càch,
Snyder is Kerouac is Ginsberg is O'Hara
'S gu deas aig Malaig sìos an Linne,
Solais a' bhaile-mhòir a' deàlradh
Is a' dol às ann am priobadh nan sùl
Agus thuirt mi rium fhìn: seadh,
'S e 'n fhìrinn ghlan a bh' agad,
'S e àit' àlainn a tha san t-saoghal.

I read in the greengrey lockdawn that you deeathseekwent at last at a great age and I went around by the head-back-common grazing and saw over there the lighthouse at Isle Ornsay lit up like a fiery cross, naked-viewappearing and disappearing and over there up high, the Five Sisters of Kintail like yourself with the others, Snyder and Kerouac and Ginsberg and O'Hara and neatnearsouth at Mallaig down the Sound the lights like city lights splendoursparkling and glistenglittering and gleambeaming and going out in the twinkling of an eye and I said to myself, aye, you spoke the puregreat truth, the lifeworld is beautiful.

och, Goirtean Driseach
gun chur is gun treabhadh
ach thall ud, seall, clach-bhriseach

och, the field at Goirtean Driseach neither sowed nor ploughed but over there, showsee, saxifrage

Cnap

A' chiad rud agus an glasadh
A bh' ann a' sgaoileadh
Mura bheil air falbh dìreach,
'S ann a chaidh mo dhùsgadh
Nuair a dh'fhairich mi nam shìneadh
Bhuam an taobh eile den taigh
Chan e mo nigheanag a' carachadh
Is a' sporghail sa phreas-aodaich
Ach na mìrean mu dheireadh
Den t-sneachda bhalbh
A thàinig oirnn a chianaibh
A' gluasad is a' teàrnadh
Na chnap a-nuas bhon mhullach.

The first thing and greengrey lockdawn loosening if not gone entirely, I was woken up when I feltheard lying down over there from me the other side of the house not herself moving and sprauchling in the wardrobe but the last of the silent snow that came upon us a while ago moving and after-birthfalling with a thud from the rooftop.

Didòmhnaich agus ceàrnan-todhair
a' dol seachad gu mall san fheasgar
air cliathach a' Chnocain Odhair

Sunday and a dung beetle going past slowlate in the afternoon on the side of the hillock of Cnocan Odhar

Uair a' Ghille-chonnaidh

Seo sinn uair eile sa Bhliadhn' Ùir

Ann an glasadh an t-sluaigh
'S an dèidh gu bheil an sneachda mòr
Air leaghadh ach gann agus glanadh
Air falbh 's gun air fhàgail a-nis
Ach na bloighean thall 's a-bhos,
Tha sinn fhathast a' feitheamh
Gun fhios nach nochd
Shìos bhuainn ri ceann an rathaid
Mu dheireadh thall an gille-connaidh.

Here we are another weatherhourtime again in the New Year in the greygreen lockdawn and for all that the snow has almost melted and gone away and all that's left now is tiny patches here and there, we're still watchwaiting for the fuelman to nakedviewappear down from us at the last road-end over there at long last.

thall an cois an Riadhain
fon rainich, ris air èiginn,
seall, sgeallan-fiadhain

footbeside the wee streakstream under the bracken, barely visible, showsee, wild charlock

Coimhearsnaich

An-dè san oidhche
'S an-diugh sa mhadainn còmhla
Nuair mu dheireadh thall a bhuail e
Meadhan-oidhche 's oidhche Challainn
A' dol na Latha na Bliadhn' Ùire
'S cuideachd a' chiad latha
Don eilean bheag againn fhìn
Gun a bhith na roinn
Den tìr-mhòr tuilleadh,
Bha dùil agam gun do mhothaich mi bhuam
Coimhearsnaich bun na h-ursainn
A' dol a-mach anns an dùbhradh
Agus an uair sin a' tilleadh
Air ais ris a' ghlasadh
Aig dealachadh nan tràth
'S iad air a' chiad cheum
A-null gu taigh falamh
Gun solas is gun teine.

Yesterday at night and today in the morning bothtogether when at long
last it struck midnight and Hogmanay became Ne'erday and also the
first day for the wee island of ours not to be a divideregion of the main-
landcontinent anymore, I thought I noticed over there the next-door
neighbours going out in the spectredark in the distance and that weath-
erhourtime then returning back in the twilight and greygreen lockdawn
out first-footing over to an empty house without a light or a fire.

Allt a' Bhodaich a' lùbadh is ag iathadh
agus mise gam chrùbadh anns a' bhruaich
agus am feasgar a' liathadh

the burn at Allt a' Bhodaich loopstoopbending and
surroundflutterstretchmeandering and me shrinkcrinklecreepcrouching on the
bank and the evening going pale blue and lilac and mouldgrey

01-01-2021

An-diugh Là na Bliadhn' Ùire
'S là na h-aoise dhomh le chèile
'S an tulgadh fhathast mu sgaoil
Agus glasadh an t-sluaigh ga rèir
Is an aimsir eadar Nollaig Mhòr is Nollaig Bheag
Air a bhith air a dubhadh a-mach againn
Agus a' chlann gu lèir air falbh
Agus an taigh fuar falamh fhèin,
Chuir mi seachad an t-àm a' siubhal
San Eilean do nach buin mi bho dhùthchas
Is a' gabhail beachd thairis air an aiseag
A-null bhuam gu tìr-mòr
Anns an t-sneachda bhalbh
A thàinig a chianaibh oirnn gun fhios
Agus a th' air a bhith a' cur
'S a' laighe bhon uair sin gun sgur.

Today on New Year's Day and my birthday and the rockpandemic still here and the greygreen lockdown accordingly and the temps either-bothbetween Christmas Day and Ne'erday having been blackcancelled by us and all the familychildren away and the cold empty house cold and empty indeed, I spent the time deathseekwalking in the Island to which I do not belong and contemplatelooking across the resurrectiondeliver-ancenarrows to the continentmainland over there in the silent snow that came upon us unawares a while ago and has been falling and lying unceasingly ever since.

> an crochadh bun os cionn, ialtag-leathair
> ann an Uaimh Dhòmhnaill Ghruamaich feasgar
> is beul foidhpe san tiùrr, ablach eathair
>
> *hanging upside down, a bat in Black Donald's gloomy cave in the afternoon and face down on the seawarebeach, the wreck of a boat*

Dìosgail

Agus aimsir na Nollaig' oirnn mu dheireadh,
Chaidh mo dhùsgadh anns a' ghlasadh
Bhon gun robh i mi 'n dùil
Gun do dh'fhairich mi bhuam
Mo nigheanag agus ceum
A coise 's i 'n-àirde
'S a' carachadh anns an t-seòmar aice
Seach na clàran air an làr a' dìosgail.

With Christmas *temps* upon us, I was woken in the greengrey lockdawn as I hopethought I could feelhear my daughter and her footsteps as she moved up and about in her room and not the barrencreaking of the floorboards.

aig Abhainn Cheann Locha far an gabhainn
sgrìob is tlachd leis an tè a bh' ann,
dìreach an loch is an abhainn

at Kinloch River where I used to go for a furrowtrackscratchwalk and earthlovedelight with herself, just the loch and the river

Na h-Uighean

Agus gun ach an dithis againn a-staigh
Ris a' ghlasadh Diluain
A' chiad char, a' dol a-mach
A dh'fhàgail soitheach an sgudail
Aig ceann an rathaid thall,
Chan e 'n luimead no 'n dorchadas
No sìde nan seachd sian as miosa,
'S e dìreach gun do dh'fhàs
Uighean ùra nan cearc
Anns an àite sin aca cho tearc
An taca ris mar a bha
'S an uair sin aon là gun ghin.

With only the two of us in at home in the greeygreen lockdawn on Monday first light, going out to leave the rubbish bins at the road-end over there, it's not the bareness or the dark or the atrocious weather that's the worse thing, but that the hens' fresh eggs have wastebecome so scarce in their place unlike not long ago and that weatherhourtime then one day, there's none at all.

far an robh mi ri mire 's ri mànran
am Monadh Mhorsaig *fire fàire ri hoireann*
hì rì o na hì ò ro, na geòidh ri cànran

where I used to do the business on the moor at Morsaig, the geese chattercackling

Èigheachd

Air mo mhosgladh anns a' ghlasadh
Agus gun de dh'fhuaim ann,
Shaoileam gun do dh'fhairich mi bhuam thall
Chan e dìreach uf uf nan con,
Mò mò a' chruidh 's mè mè nan caorach,
Moig oigean is gnost gnost nam muc,
Hi homh homh nan asal
Agus meig meig nan gobhar
Ach na bodaich a bh' ann a' glaodhach
Is ag èigheachd amach *iosgaidh!*
Tìrr h-eodha! ciridh! siug! suc suc!
Tuadhi! chaoide chaoide! dur dur!
Pruidh-seo! prill-è! poichean! is mar sin
Air na beathaichean sa chainnt aca fhèin.

Roused up in the greygreen lockdawn without a sound, I thought I felt-
heard over there not just the dogs' woofing, the cattle's mooing and the
sheeps' babaing, the pigs' oinking, the donkeys' braying and the goats'
bleating but the old sealcodmutchkinghost men death-tingle crying out
*iosgaidh! tirr h-eodha! ciridh! siug! suc suc! tuadhi! chaoide chaoide! dur dur!
pruidh-seo! prill-è! poichean!* and so on at the beasts in their own langue et
parole.

> mo chreach – air an fheannaig, iseag
> agus feannag air an iteig
> a' tarraing ga h-ionnsaigh aig Port nan Sliseag
>
> *o no – on the hoodiecrow-lazybed, a chick and a lazybed-hoodiecrow on the
> wing pulldescending attack towards it near the Point of Sleat*

Tuireadh

Och, seall, dìreach bodach
No dithis thall gun ghuth
Gun ghabadh agus pìobaire
Fon èideadh Ghàidhealach
Ri tuireadh *ho ro eile*
Ho bà ho bà bà è bà e
Mun chuimhneachan-chogaidh
Nan seasamh air leth
Gun charachadh Là na Sìthe
Ri linn glasadh an t-sluaigh.

Och, showlook, just one or two old mutchkinsealcodghostmen over there without a bardtauntword and a piper in the Gaelic garb with a lament round the war memorial, all standing apart without moving on Remembrance Day forduring greygreen lockdown.

a' nochdadh is a' dealradh beagan
's an uair sin a' falbh air cùl a' chùil-chinn
ann an Duisdeil Beag thall, seall, meall dhreagan

nakedviewappearing and gleambeamraydiating and that hourtime then going behind the common grazing in Duisdalebeg over by, showsee, a meteor shower

Na h-Àilleagain

Air mo chumail a-staigh
Ri linn glasadh an t-sluaigh
Agus an tè a th' ann air tilleadh
Ris a' bhaile-mhòr mu dheireadh,
Chuir mi seachad fad na maidine
Shìos air mo ghlùin
A' sporghail fon leabaidh
Far am biodh e fhèin
Cuideachd na linn
'S a' dol an lùib nan doileagan 's nan àilleagan
'S nan lèintean is nam bròg
Nach eil a' teachd tuilleadh
Is gan cur an dara taobh sa chiste
'S gan caitheamh bhuam dhan t-sitig.

Kept inside at home forduring lockdown and herself gone back to the bright lights at last, I spent all morning down on my generationknees rattlerummaging under the bed where himself was in his generationtime ancestorcompanyalso and going through the dollies and darlingjeweltoys and the shroudshirts and stuff and shoes that don't comefit any more and putting them to one side in the treasurekist and consumptionwastethrowing them wantingaway from me for the skip.

a' ghrian air Lag a' Ghàrraidh-chàil
a' nochdadh anns a' mhadainn mar aiteal
is a' falbh a-rithist gun dàil

the sun on Lag a' Ghàrraidh-chàil nakedviewappearing in the morning as a breezerayglimpse and going again immediately

Clisgeadh

Agus am foghar a' tighinn gu crìch
Agus am mìos dubh
'S an geamhradh air lom,
Abair gun deach clisgeadh a chur orm
Nuair a chaidh mo mhosgladh
Ri glasadh an latha
'S an tè a th' ann ri mo thaobh
'S gu h-àrd air cho fad' às,
An ìre mu dheireadh, tha fios,
De bhùrach na dàra.

With autumn nearly over and the dark months of winter barelooming, I got such a start when I was woken in the greygreen lockdawn with herself beside me and out loud on high for all that it's far off, the last, surely, of the rutting bourachbellowing.

taobh ris an Allt Chaillte
a' sruthadh na dheann don Linne,
càil ach fleann-uisge shaillte

beside the burn of Allt Chaillte flowrushing into the Sound, not a lifestrengthdesirething but brackish water-crowfoot

Oidhche Shamhna

'S gun ach an dithis againn a-staigh
'S am feasgar a' dol na chiaradh
Oidhche Shamhna ri glasadh an t-sluaigh
'S am mìos dubh oirnn gu luath
'S casg air na samhnagan 's na samhnairean
'S gun ùbhlan air a' bhòrd no fuarag,
Abair gun d'fhuair sinn clisgeadh
Agus lasadh thall shìos bhuainn
Gun a bhith na ghathan-gainnisg
A' dlùthachadh is an uair sin clann
Gun a bhith a' nochdadh nam bòcain
Air an stairsnich nan aodannan-coimheach.

With only the two of us in at home and the evening getting darker at Halloween in greygreen lockdown and the darkest month upon us ashfast and the bonfires and guisers prohibited and no apples or stuff on the table, we got quite a start with a flamelight over there which was not a Halloween torch getting warpnearer and then clanchildren not nakedviewappearing as ghosts on the doorstep in their alien facemasks.

san Dàmhair, gealach a' bhruic
fhathast làn a' dol à fradharc
a-nuas os cionn an t-Sluic

in October, the badger's moon still tidefull going out of sight down above the dark hollow at Sloc

222

Corran

Sa ghlasadh, a' ghealach na corran
A' briseadh is a' crìonadh mean air mhean
Os cionn nan achaidhean sna Torran.

In the greengrey lockdawn, the crescent moon waning little by little
above the fields in Torrin.

aig Òb Chamas Chros, na tonnagan geala
a' bualadh air a' mhol aig meadhan-latha
cho sèimh ri stràcan speala

at Camuscross Bay, the little brightwhite waves beating on the flockshingle-
shore at midday as calmgentle as the swathestrokes of a spellscythe

Dìreach

Ann an Caol Acain air chuairt
Feasgar ìseal Didòmhnaich
Agus glasadh an t-sluaigh ann fhathast
Gun lasachadh is an Dùbhlachd air lom,
'S e na dh'fhidir mi romham
An smùidreach ag èirigh dhan adhar
Agus bodach na sheasamh leis fhèin
Agus ri chois ablach coin
A' sealltainn a-mach dìreach
Air na h-eathraichean air chruaidh
Sa chala gun charachadh idir,
Cho ciùin, cho bog balbh.

In Kyleakin on a roundboundrepetitiontrip in the low afternoon on
Sunday with the greengrey lockdown still not easing and the
Decemberdoldrums barelooming, what I saw before me was the drizz-
lecolumn of smoke rising up to the sky and an old mutchkinseal-
codghostman standing on his own and legbeside him an old dog just
showlooking out straight ahead at the wee boats at hardanchor in the
last-placeharbour without any movement, so softdumbcalm.

cailleach-bhreac is bodach-nan-claigeann
ann am baile-bàn Charadail far a bheil mi a' sealltainn
air ais bhuam air a' Chuan Sgìth gun aigeann

heath spotted orchid and yellow rattle in the cleared village of Caradale
where I showlook back from me at the bottomless Minch

Ceann-uidhe

An dèidh dhomh dol seachad
Air Drochaid an Eilein
Thar a' chaolais gu tìr-mòr thall
Sa ghlasadh a' chiad turas
Bho thàinig aois a' bhodaich orm,
'S ann a fhuair mi stad
Agus chaidh mo thoirt air ais
Nuair a dh'fhairich mi bhuam faram
Nan roth 's iad a' tionndadh
Mun cuairt aig a' charbad-iarainn
A' dlùthachadh gu mall
Ris a' cheann-uidhe mu dheireadh.

After I'd crossed over the bridge at the island over the ferryfirthnarrows
to the mainland over there in the greengrey lockdawn the first journey-
time since I became an old mutchkinsealcodghostman, I got a stopstart
and was taken aback when I feltheard over there the rhythmnoise of the
wheels turning and returning round of a train lateslowly warpnearing
the final destination at last.

mu Chnoc na Croiche feasgar, ìobradh-turaidh
's gaoth gheur gun fhiost' a' sèideadh
mu Charragh-chuimhne nan Curaidh

at the Hill of Cnoc na Croiche in the afternoon, a short dry spell and a bitter
wind blowing suddenly around the War Memorial

Gearradh

Dh'èirich mi ris a' ghlasadh
Agus i fhìn fhathast na laighe
'S sheas mi dreiseag leam
A' sealltainn a-mach air a' ghàrradh
Agus am feur gun a bhith a' fàs ann
Ach air èiginn èiginn
Agus an geamhradh air lom
Agus thuirt mi rium fhìn: seadh,
Aon ghearradh beag bìodach eile
'S an uair sin bidh sinn ullamh.

I got up in the greygreen lockdawn with herself still lying there and stood for a while showlooking out on the peat-stackdykegarden and the grass hardly wastegrowing at all and winter bareupon us and I said to myself: aye, one last wee cut and that hourtime then that'll be us finished.

bodach le corran-meangaidh
shìos air a ghlùin sa ghàrradh
ri dol fodha na grèine san Teangaidh

an old man with a pruning hook down on his generationknees in the walldykegarden at sunset in Teangue

Ciaradh

Agus an Dàmhair air tighinn
Agus an t-sìd' a' mùthadh cho luath
'S an uair a' dol air ais
An deireadh-seachdain romhainn,
Seo sinn air ais a-rithist
Nar n-àbhaist nach eil na h-àbhaist
Agus an glasadh a' fàs
Na chiaradh agus an ciaradh
Na ghlasadh agus beul an latha
Mar bheul na h-oidhche gun fhiosta.

With the rutting-time in October having come and the storm-abate-
mentweather decaychanging so earlyfast and the weathertime going
back this weekend, here we are back again in the norm that's not a norm
and the greygreen lockdawn wastegrowbecoming the dawndusk and the
dawndusk the greengrey lockdawn and the morning twilight as the
evening twilight suddenly without knowing.

dìosgaidh-dàsgaidh! och, fuaim an lodain
far an robh mi leis an tè a bh' ann
air turas ann an Doir' an Trodain

the noise of splashing in the puddle and water in my shoes where I went with
herself on a timejourney in the woods at Doir' an Trodain

Faoisgneadh

Chì mi bhuam ris a' ghlasadh
Cailleach bun na h-ursainn agam na stad
Agus coigrich a' siubhal seachad
Is a' dol dhachaigh, tha fios, a-nis
Agus an Dàmhair air nochdadh
Agus thall ud, fachaich gun chomas
Itealaich bhon talamh
Agus iad air iteach
An t-samhraidh ac' a chall
Agus, air an cùlaibh, seall,
A' ghrian a' faoisgneadh
A-mach às na sgòthan 's ag èirigh.

I see over there in the greengrey lockdawn the wifey next door stopped
and outsiders deathseektravelling past and going home no doubt now
that the rutting time in October has nakedviewappeared and over by,
shearwaters, flightless and grounded, having lost their summer plumage
and, behind them, showsee, the sun coming out from behind the hori-
zonclouds and rising.

comhartaich a' choin seing
aig taigh na caillich ann an Sàsaig
is an t-anart a' reothadh air an t-sreing

tha leanmean dog barking at nothing at the old wifie's house in Sasaig and the
shroudwashing freezing on the line

Oidhche Shamhna

Bho nach tig a' chlann a-mach
A' siubhal nan taighean am-bliadhna
'S a' tadhal oirnn Oidhche Shamhna
Ri linn glasadh an t-sluaigh
Nan culaidhean is aodannan-fuadain,
Cha ghabhainn iongnadh dheth ged a nochdadh
Seach na nigheanan is na gillean
Romhainn air an stairsnich
Anns an dorchadas ach na sgàilean
Is na bodaich a bh' ann bho shean.

As the familychildren won't be coming deathseektravelling from house to house this year and touchvisiting us at Halloween forduring lockdown with their costumes and masks, I shouldn't wonder but instead of the boys and girls nakedviewappearing before us on the threshold in the dark we'll have the coveringshadowghosts and old mutchkinsealcodghostmen of old.

ri briseadh an là, na sgàilean
's earb a' teicheadh air na beanntan
eadar Leitir Fura 's Àilean

at daybreak, the shadows and a young hart fleeing upon the mountains eitherbothbetween Leitir Fura and Allen

Smalan

Bidh mi 'g èirigh 's a' dol sìos
Ris a' ghlasadh, cianail sàmhach,
Seadh, air na corpagan
Agus càch gun charachadh
A ghlanadh a-mach an teinntein
Agus a' sgapadh nan smalan
Mu dheireadh den luaithre
San fheannaig air cùl an taighe
San dòchas gun toir iad fàs
Is blàth sa bhliadhna romhainn.

I get up and go down in the greygreen lockdawn, terribly quiet, aye, on tippytoes without anybody else stirring to clean out the peatfire-place and scatter the last griefparticles of ashdust in the hoodie-crowlazy-bed behind the house in the hope they'll bring wastegrowth and warm-bloom in the year ahead of us.

mac-talla san Dàmhair – thall ud, nuallaich
air a' Ghasgan 's langan 's bùirich
agus iolach aig balaich a' chuallaich

a rockson echo at rutting time in October – over there lowing in the Gasgan and bellowing and roaring and the shouting of the men slowly herding the cattle

An Taigh Bàn, Didòmhnaich a' Chuimhneachaidh 2020

Chì mi bhuam air èiginn tràth
Ris a' ghlasadh an Taigh Bàn
Am bu ghnàth le Dòmhnall Dubh MacLeòid
Is iomadh MacLeòid is an luchd-taghaidh
Fuaraidh fàs na fhasadh gun fheum
Gun fhasgadh is gun dìon
Agus an toit is a' ghaoth nam aghaidh.

'S na dhèidh sin 's na dhà dhèidh,
Seall, an là geal, a lìon
Beagan is beagan, a' fàs blàth
'S air an taobh eile 'n làn
A' lìonadh agus am blàran rèidh
A' tighinn am follais far an robh na seòid
Is an Linne Shlèiteach na leum.

I can distressbarely see prayermealtimeearly in the greygreen lockdawn the white house that was the old manse in Kilmore where Donald John of MacLeod of that ilk was and many another and their electors and 'band of chosen men of the same clan who fared at the same table with the chieftain' all cold and growthdeserted without shelter and the wet smokemist and wind in my face against me. And then for all that and all that, showsee, the brightwhite day little by little wastebecoming blossomwarm and on the other side the fulltide flowfilling and the freelevel little battle-field becoming clearer where all the lads and lasses were and the Sound of Sleat rising up.

agus an tè a bh' ann ga leigeil sa chrèadh,
soitheach a' siubhal seachad air an Linne Shlèitich
is gu h-àrd anns na speuran, cànran ghèadh

herself being lowered into the clay, a bodyvessel going past on the Sound of Sleat and loudhigh in the sky, the cry of geese

Mìosachan

Och, tha mi a' call mo chuimhne:
Gus an-diugh fhèin
An dèidh dhomh èirigh sa ghlasadh
Dà là 'n dèidh
Là na Bliadhn Ùire
'S là na h-aoise
Dhomh fhìn le chèile,
Cha do ghabh mi beachd air mìosachan
Na bliadhn' an-uiridh
'S e an crochadh ri cùl an dorais
A thoirt a-nuas
Is a thilgeil bhuam air falbh.

Och, I'm losing it: not till today after I'd gotten up in the greygreen lockdawn two days after Ne'erday and my own birthday did I think of the calendar hanging behind the door and taking it down and throwing it away.

> fuich! nach ann a chuir mi mo chas ann an gaoirean
> ach – fuirich ort! – air cùlaibh Loch nan Dubhraichean,
> cluinn, calman-coille, calmain-choille ri caoirean

> *yugh! I'v gone and put my foot in dried cowdung but – hold on! – over there behind Loch nan Dubhraichean, listen, a woodpigeon, woodpigeons, cooing*

Eadar Duisdeil Mòr is Duisdeil Beag

Agus an Cèitean gheamhraidh na Chèitean earraich
Agus an glasadh na ghealadh,
Lusan an Aisig thall ud
A' cromadh an cinn gun sgur
Air oir ceann an rothaid
Eadar Duisdeil Mòr is Duisdeil Beag
Far an tigeamaid nar coimhearsnaich còmhla
Gus a' chlann fhàgail a' chiad char
Agus an togail anns a' chiaradh,
An dùil an e th' annt' an fheadhainn
A nochdas tràth 's iad a' falbh
No na tha fada gun tighinn air tighinn
Am bàrr dìreach an-dràsta
'S an sneachda mun cuairt orra san dìg,
An dùil an e th' ann dheth cur
Bho shean air neo cur às ùr?

With winter spring and the gregreen lockdawn whitebrightness, the daffodils over there droopbending their heads all the time by the edge of the road-end eitherbothbetween Duisdalemore and Duisdalebeg where we used to gather with the neighbours and destinyleave the familychildren first light and rearpick them up in the twilight, I wonder are they the ones that nakedappear prayer-mealtime-early going off or the ones late to come popping straight up just now and the snow around them in the ditch, would that be a fall of old snow or new?

crònan sa mhadainn an taobh thall an raoin
sa Chille Bhig is gun ann ach sin
far an do thiodhlaic sinn e fhèin Diardaoin

hum-mournemurmuring on the other side of the greenmossplainfield in
Kilbeg and nothing else where we presentburied himself on Thursday

Ceist

An dèidh dhomh feitheamh tacan,
B' e 'n-diugh Là na Banachdaich
Mar aon de na làithean
Mar Là na Bliadhn' Ùire
No Là na h-Aoise
'S chaidh mi ga h-iarraidh
San fheasgar leam fhìn
Leis gum buin mi ri buidheann àraidh

'S rinn mi stad is sheall mi mu mo chuairt
Is an dèidh gun robh feadhainn ann
A b' aithne dhomh nam là bho shean
'S bho chionn ùine nan cian
Ged as gann is iad uimhir air glasadh
Bhon uair sin, bhuail orm a' cheist:
Cò na bodaich is na cailleachan coimheach
Coimheach a tha 'n seo rim thaobh?

After watchwaiting a while, today was Vaccination Day like any other
day like New Year's Day or a birthday and I went for it in the afternoon
on my own as I'm of a certain age and I stopped and looked about me
and though there were some there I knew in my day of old and ages ago
although just about as they've gone so greenlock-downgrey since that
hourtime then, the question struck me: who are all these strange old
wifies and codgers so strange beside me?

> dìreach mar sin, sgòth shreathach
> an taobh thall Beinn Dubh a' Bhealaich
> is damh a' nochdadh anns a' cheathach

> *straight up like that, stratus cloud on the other side of Beinn Dubh a'*
> *Bhealaich and a stag nakedviewappearing in the mist*

An Taigh-seinnse

Agus Là Buidhe Bealltainn a' tighinn
Agus glasadh an t-sluaigh a' falbh
Mean air mhean is an taigh-seinnse
Air fosgladh is na h-eòlaich bho shean
Ann a-rithist a' chiad uair
Bho chionn ràithe 's an còrr,

A' dèanamh suidhe dhuinn sa ghàrradh
Ri chèile 's fhathast a' cumail fad
An sgadain bho chèile còmhla,
'S lèir dhomh dìreach an-dràsta
Nach e 'n aon chlann-daoine
A th' annainn dhinn a bharrachd.

With sunny Mayday coming and greygreen lockdown going little by little and the Changehouse open and the knowingacquaintances of old there again the first oncehourtime for a season and more, as we sit in the peat-stackdykegarden together still keeping our distance from each other, it's clear to me only now that we're not the oneonlysame family-children menpeople anymore either.

doras a' dùnadh le slàr
anns an Druim Feàrna feasgar –
a' ghaoth 's an crodh sa bhlàr

a door shutting with a slam in Drumfearn in the evening – the wind and the cattle in the field

235

Uair Eile

Air mo mhosgladh uair eile
'S glasadh an t-sluaigh
A' tighinn 's a' falbh 's a' tighinn
Agus an Cèitean earraich
A' dol na Chèitean samhraidh,
Fairichidh mi bhuam am badeigin
Caoirean 's durrghail a' chalmain-choille
'S a' chuthag thall a' goirsinn
A' dol an ceann a chèile.

Woken another hourtimeonce as the greygreen lockdawn comes and
goes and comes and summerspringMay becomes springsummerMay, I
feelhear over there in some tuftbushplace the cooing of the wood-
pigeon and the cuckoo cuckooing going together one after the other.

fàileadh tòrraidh tungaidh
nuair a dh'fhalbh an sileadh
mun ghàrradh air Cnoc an Ungaidh

*a fusty musty damp smell when the rain went by the gardendyke on the hill at
Cnoc an Ungaidh*

An Lùib a Chèile

Agus glasadh an t-sluaigh gun sgaoileadh
Agus gun duine nam ghaoith,
'S lèir dhomh fodham air taobh
Seach taobh den raon
Shìos air làr a' ghlinne
Coill' a' Ghasgain 's an rathad buan
'S Allt a' Ghasgain 's iad air leth
'S a' dol an lùib a chèile le chèile.

With greygreen lockdown not easing and not a manperson windnear me, I see below me on either side of the mossygreenup-land-down down on the centreground of the glen between the two heights the wood at Coill' a' Ghasgain and the everlong road and the burn of Allt a' Ghasgain, apart and going bowbeambendtachethongmazemeandering beambowbendamong each other bothtogether.

    ann am Fearann Dòmhnaill, am bodach air chluainidh
    a' cur anns a' ghàrradh air deireadh
    is na speuran a' fàs duainidh

in Ferindonald, the old man out to grass planting in the dykegarden slowlate and skies wastegrowing grey and bleak

Eadar Duisdeil Beag is Duisdeil Mòr

Agus an glasadh eadar a bhith
Ga sgapadh mu dheireadh
Agus ga sgaoileadh mu dheireadh
A' druideadh ris a' Chàisg
Agus an Cèitean Earraich
A' dol na Chèitean Samhraidh
'S thall 's a-bhos gug-gùg!
Am badeigin aig a' chuthaig,
Eadar Duisdeil Mòr is Duisdeil Beag
A chlisgeadh chaidh mo ghlacadh
Ann an sneachda breith nan uan
A dh'fhàs gu grad na chathadh
Nach do mhair na dhèidh sin
'S na dha dhèidh ach plathadh.

With greygreen lockdown eitherbothbetween spreading for the last time
and easing at last close to Easter and summerspring going into spring-
summer and here and there the cuckoo's cuckoo in some tuftbushplace,
eitherbothbetween Duisdalemore and Duisdalebeg, skipstartsuddenly I
was caught in the lambing snow which wastegrew suddenfast into a drift
which only lasted for all that a puff-flashglanceinstant.

>   ann an Coille Morsaig madainn Là na Sìthe,
>   far an robh de bhùirich o chionn ùine,
>   gun fhuaim air feadh na frìthe

>   *in the woods at Morsaig on the morning of Armistice Day, where there was all
>   that bellowing a while ago, not a sound throughout the deerforestmoor*

Càil

Nach b' e sin an glasadh fhèin
Is cha b' ann ri càil an latha,
Cha b' ann, a ghaoil, air a chaochladh

Ach dealachadh nan tràth
Shìos ann an Coille na Cille Bige
'S an t-sìde cho sglìomach –

Spìonadh uisge na shileadh balbh
Mu na driùchdain mhìne bheaga,
Grian is faileas air an aon dath gun sgaradh,

An corcan-glas is a' chruinneag-uaine
Bhuainn air ite 's a' suathadh rinn,
Fionnan-feòir is a' chòineach-thìomach.

That was the real greygreengreengrey thing and not in the lifestrength-
desiredawnthing, not at all, love, the deathchangeopposite but in the
division of the earlyprayermealtimedusk down in the woods in Kilbeg
and the temps so overcast – a sudden lightquiet snatchdrizzle around the
wee smooth daintydowny sun-dewdrops, the gravelsun and lightning-
shadow all the same colour without contrast, the greenfinch and emer-
ald damselfly featherflying wantaway from us and afflictionstirrubbing
against us a grasshopper and thyme-moss.

    far an do shiubhail mi le mo nighinn
    ann an Cùl nan Cnoc uair a bh' ann,
    an fheusag-liath 's an riasg-righinn

where I deathseekwalked with my daughtergirl at the back of the hill at Cùl
nan Cnoc in the middle of nowhere, old man's beard and tough moorsedge

Athair-thalmhainn

Air a' bhlàr a-muigh dhomh sa ghlasadh
A' siubhal air lorg lus na fala
No athair-thalmhainn airson mo mhic,
Abair thusa gun robh mi cho toilichte 's a tha 'n là cho fada
Nuair a fhuair mi dalladh dheth bhuam
Ag aomadh air palladh ri bruach Allt an t-Sluic

Agus shìn mi air teàrnadh is cromadh
Mall slaodach leis a' bhruthaich
Agus air cho cas is cho cugallach
Agus gum biodh e ruigsinn air,
'S ann a rinn mi 'n gnothach air grèim
A ghabhail air agus a spìonadh

Agus bha mi toilichte toilichte gu dearbh
Nuair a thill mi ris an taigh mu dheireadh thall
Agus nach ann orm a bha de bhriseadh-dùil
Nuair a fhuair mi a-mach, nach searbh,
Nach b' e 'n t-athair-thalmhainn a bh' agam idir
Is gun sa bhlàth bhàn ach caoran gun abachadh.

Outside in the whitebattle-field in greygreen lockdawn deathseekwalking
findlooking for yarrow for my son, I was so pleased when I got a blind-
glimpse of it over there overhanging on a ledge on the clumpbank of the
burn at Allt an t-Sluic and I stretchstarted after-birthdescending and bow-
bending lateslowly dragclumsily going downhill and however twisted-
footfaststeep and unsteady it was to reach, I managed to get hold of it and
tearpick it and I was so pleased when I got home at last and then so dissa-
pointed when I found it that what I had wasn't yarrow at all and that the
white warmflowerbloom was only unripened cloudemberberries.

sa chiaradh aig Port an Staca
ri linn fèath-nan-eun – gun fhiosta,
Coinneach Dubh a' Chaca

in the dusk at Port an Staca during the bird-call – suddenly, a skua

Na Buachaillean

Air a' bhlàr a-muigh ri glasadh an t-sluaigh,
Stad mi 's rinn mi sìneadh air ais
Air leacann Mheall Dà-bheinn
Is mi ri falach-fraoin leam fhìn
Air falbh air lorg nan clach
A chunnaic mi bhuam aon turas
Air an gearradh mar ìomhaighean daoine
Gu h-àrd ann an aghaidh na creige

'S an uair sin gu h-ìseal air an raon
Far am faca mi 'n là roimhe
Cruinn còmhla na buachaillean 's na gillean
A' crodhadh is a' bearradh fad an t-siubhail
Agus thill mi dhachaigh sa cheann thall
Gan lorg 's gun an lorg le chèile.

Outside in the whitebattle-field in greygreen lockdawn, I stopped and
startstretched back on the slope of Meall Dà-bheinn like I was hiding in
the hills away on my own findlooking for those stones that I saw over
there one journeytime cut like the ghostimages of menpeople up high in
the rockface and that hourtime then down there on the the mossy-
greenup-land-down where I saw the other day gathered around the
young herds and gillieboys cattlepenning and ridgeshearing all the
deathseekjourneytime and I returned home in the heel of the hunt at
that headend over there findlooking for them without lookfinding them
bothtogether.

cuileagan-snìomhain
is am feasgar a' tighinn gu ceann
gu cas air an Druim Dhìomhain

*fireflies and the evening coming to an end foot-twiststeeprapidly on the
backridge at Druim Dìomhain*

Àilleag

Air tòrradh Mòrag NicDhòmhnaill
Feasgar ìseal sa chladh
Agus gun an làthair ach lìon beag
Ri linn glasadh an t-sluaigh
'S Dòmhnall Mòr a' gabhail an fhuinn sa Ghàidhlig
Agus an giùlan ga thogail
No dìreach a' cromadh an cinn
Agus thall gu h-àrd nuallanaich
Aig a' chrodh Ghàidhealach
Agus a' ghrian a' faoisgneadh
Is a' fàs mar ghrian an àigh
'S na siùil air an fhàire
Cho geal ris an anart
No ri corp fhèin
Is a h-uile càil cho grinn
Is nach mòr gun cailleadh neach cuimhne
Gun do chaochail a' chailleach
A bha na h-àilleag na linn.

In Morag MacDonald's funeralprocession in the low afternoon in the
graveyard with only a small number present in greygreen lockdown
with Big Donald precenting in Gaelic and the funeralprocession
responding or just bowing their heads and over there up high the low-
ing of the Highland cattle and the sun coming out from behind the
clouds and wastebecoming glorious and the sails on the horizon as
brightwhite as a shroud or a corpse itself and every lifestrengthde-
sirething so ornate and graceful and beautiful that an apparitionperson
might forget that an oldwifey that was a young beauty once has
changedied.

a' stad aig fàrdach air an t-slighe
air ais à Dail a' Bhile san uisge
's far a' mhullaich de shnighe
stopping at a hovel on the way back from Dalavil in the tearsrain and from the
roof all the rainteardrops coming through

242

Port an Fhìona

A' gabhail sìos dhomh san t-slugan
Eadar an rathad-mòr is Port an Fhìona
Sa chamhanaich bhalbh le Cairistìona
Ri taobh an lòin gus an fhaoilinn
Far am biodh an sluagh a' tathaich
E hò hì hu rù chunna mi long,
Long nan Eilean a' tilleadh a Mhalaig
Is na làraichean-feòir is na feannagan-glasa.

Dh'amhairc mi suas agus bhuam thall
O ho rò ho e bò de chraobhan,
Coille-bheithe 's calltainn 's caorann
Bhon chasan ho hì hu fo chòinnich
Is na freumhan air na leathadan casa
'S an dris a' leantainn ri do cholainn
Agus thuirt mi rium fhìn os ìseal:
'S ann a tha iad a' sealltainn oirnn.

Going down in the gorge eitherbothbetween the road and Port an
Fhìona in the dumb twilight with Christina beside the stream to the
raised beach where the people were frequenting e hò hì hu rù I saw a
ship, the Lord of the Isles going back to Mallaig and the grass-grown
ruined homes and greygreen lazy-bed-hoodiecrows. I looked up and
over there o ho rò ho e bò all those trees, a wood of birches and hazel
and rowan from the footpath ho hì hu under moss and the roots on the
steep slopes and the brambles clinging to your body and I said to myself
under my breath: they're show-watching us.

a-mach às a' cheathach,
an Caisteal Uaine na làraich,
eidheann, deanntagan is creathach

out of the mist, the ruinsite of Knock Castle, ivy, nettles and brushwood

243

Mono no aware

Seo mi ri fois ri *hanami*
'S ri meòrachadh leam fhìn gu ciùin
Tiotag air suidheachan-cuimhneachain
Air a ghealadh le cac nan eun
Ann an rèiteach anns an lios
A bh' air a ghlasadh fad a' gheamhraidh
Ri taobh taigh-taisbeanaidh Chlann Dòmhnaill
A' sealltainn a-mach air an Linne Shlèitich
Is na beanntan bhuam nan *shakkei*
'S an sileadh balbh air glanadh
Is oiteag shocair thall 's a-bhos

Eadar dà Chèitean 's e cho falamh
Gun fhuaim gun sluagh timcheall
Agus romham drochaid is innleag bheag air lòn
'S feadan-uisge 's alltan-tàimh gun torghan
Agus an giuthas aosta 's an darach
Is air feadh an àite còinneach is morghan.
Seadh, mi nam shuidhe dìreach
A' gabhail beachd air na sìtheanan
'S ged nach maireadh am blàth seachdain,
Gun chàil chruthaichte gam dhìth
San tost. Agus abair sìth.

Here I am taking a rest and quietly meditating at a hanami on my own for a moment on a commemorative bench whitened by bird droppings in a reconciliationclearing in the walled garden which was locked down/up all winter looking out on the Sound of Sleat and the mountains over there a shakkei and the light raindrops purecleared and a gentle breeze here and there eitherbothbetween summerspring and springsummer so empty without a sound or anybody about and in front of me a wee bridge and island in a pond and a narrowstreamletwater-spout and a stagnant brook without a murmur and the ancient pines and oaks and everywhere moss and gravel. Aye, just sitting up considering the fairyknollflowers and for all the warmflowerbloom won't last a week, wanting not a lifestrengthdesirething in the silence. Talk about peace.

Slighe na Croiche

’S e air a bhith air a dhùnadh bho chionn fhada
Nan cian ri linn glasadh an t-sluaigh,
Cha do dh’fhairich mi durra-bhig no guth
Bho Chnoc Breac a-null gu Cnoc Olaig,
Bho Chnoc na Ceàrdaich gu Cnoc na Buaile Càrnaich,
Cnoc an Fhreiceadain gu Cnoc Beul an Àtha Ruaidh,
Tòrr an Daimh ’s Àrd Ghunail ’s an Druim Bàn a-bhos
Gu ruige Cnoc an Fhùdair eadar mi ’s leus
Agus na bruthaichean is na creagan uile
Mun cuairt orm air siubhal a’ bhaile,
Dìreach rànaich na cloinne bhuam thall ud
Agus mèilich nan uan anns an fheasgar àrd
Is mi gabhail romham ’s a’ stad turas mu seach
Mar gum b’ ann a’ dèanamh Slighe na Croiche
Mar a ghabh sinn, och, gu tric is gu minig
Air trasg fad an t-siubhail Dihaoine na Ceusta
Nar n-ògan gun chron air ais aig baile.

Returning past the Change House which has been closed a long time in
greygreen lockdown, I didn’t feelhear a sound from Cnoc Breac over to
Cnoc Olaig and from Cnoc na Ceàrdaich to Cnoc na Buaile Càrnaich,
Cnoc an Fhreiceadain to Cnoc Beul an Àtha Ruaidh and Tòrr an Daimh
and Ard Ghunel to Cnoc an Fhùdair on the lighthorizon and all the hills
and rocks as I deathseekwalk around the homefarmclanvillage, just the
familychildren crying over there and the bleating of the lambs in the
high afternoon as I go on and stop turns about as if I was doing the
Stations of the Cross as we did, och, so often fasting all the deathseek-
wandering-time on Good Friday when were lambyoung without sin
back at farmclanvillagehome.

> bodach a’ togail shrùban
> air a’ Chlachaig aig ìre-làin
> is corra-ghritheach thall air crùban

> *an oldhalf-bottlesealcodman at the cockles on the shore at Clachaig at low
> water and a heron over there crabcrouched*

Fichead Bliadhna

A' sealltainn a-mach bhon taigh
Mar a bha 's o chionn aon fhichead bliadhn' air ais
Nuair a chaidh 'n fhàrdach againn –
Tha e a' tighinn air ais a-nis dham ionnsaigh –
Seadh, a chàradh is a thogail às ùr
Eadar an samhradh is am foghar,
Chì mi bhuam a' dol seachad
Agus am baile falamh rèidh
Ged a dh'fhalbh glasadh an t-sluaigh,
Clann-nighean ri ceòl-gàire
Gu h-ìseal air lom na tràghad
Agus na fir a' dol air ais a chille
'S na h-eòin air ite 's a' teicheadh às
Agus na faoileagan air faoileagan air bhàrr a' chuain
Agus na feannagan air feannagan an uair sin thall
Eadar an talamh-àitich is an talamh-bàn
Air oir an rathaid bhuain
A' sìneadh eadar Capasdal is Kabul.

Showlooking out from the house as some plentytwenty years back when
our hovel – it's attackcoming back to me now – aye, was repaired and
liftbuilt anew eitherbothbetween summer and autumn, I see over there
going past, with the empty quiet clanhomefarmvillage empty and calm
even although greengrey lockdown's gone, the girls laughing down
there on the bare strand and the men going back to grave-yard-
cellchurch and the birds flying away and the white wave-crestsea-gulls
on white sea-gullwave-crests on the creamcroptop of the multitudeo-
ceanbay and the lazy-bedhoodie-crows on hoodie-crowlazy-beds that
hourtime then over there eitherbothbetween the occupationcultivated
land and the uncultivated land beside the never-ending road eitherboth-
between Capisdale and Kabul.

iasg is feòil!
cha chan mi 'n còrr – an Cuilitheann thall
thar Loch Eiseort fo na neòil
*Jesus! that's all I can say – the Cuilinn over there across Loch Eisheort under
the swoonhueclouds*

Soraidh

Dh'èirich mise moch Didòmhnaich
Anns an Lùnastal ri glasadh an t-sluaigh
'S dh'fhairich mi gairm nan coileach
Eadar am baile 's an cùl-cinn thall
No 'm badeigin bhuam is nuallan
'S cha b' e 'n crodh Gàidhealach a bh' agam ann
Ach sgal aig a' phìob-mhòir is tuireadh
Ga sheirm 's fad aon tiota dìreach,
B' e na bh' agam de shamhla
Feachd an airm – am Freiceadan Dubh
No fir Earra-Ghàidheal is Chataibh
No na Camshronaich – ri caismeachd
Air ais aig tùs a' chatha
'S a' fàgail soraidh mu dheireadh
Air an rathad bhuan ud
Eadar Cùl nan Cnoc is Balaclava 's Kabul.

I got up early a Sunday in August in greengrey lockdown and feltheard
the rapidcocks beast-callconvenecrowing eitherbothbetween the home-
farmvillage and the headend common-grazing or some tuftbushplace
over there and a lowlament but it wasn't the Highland cattle there at all
but the yellhowlsquallskirl of the great Highland bagpipes playing a
lament and for an instant only the ghostimage I had was of warfare-
forces – the Black Watch or the men of Argyll & Sutherland or the
Camerons – alarm-marching away back in the vanguard of the battle-
batallion and destinyleaving their last sorryfare-well at last on that
never-ending road bothbetweeneither the back of the hill in the middle
of nowhere on the never-ending road eitherbothbetween Cùl nan Cnoc
and Balaclava and Kabul.

fuaim nam fear a' togail thaighean
ann an Camas Chros is air a' chùl-chinn
air an cùl, gun fhuaim, na h-aighean

the sound of men building houses in Camuscross and on the common grazing
behind them, without a sound, the heifers and the hinds

An Fhuaim Ud

Siud an fhuaim ud a-rithist
A dhùisgeas is a dh'fhairicheas mi cho tric is cho minig
Agus air a bheil mi air a bhith a-mach
Fad na tìde ri linn glasadh an t-sluaigh –
Nuall a' chruidh Ghàidhealaich air an fhàire
Bhuam thall eadar Àrd Snaosaig is Barabhaig,
A' tighinn mar sin gun fhiosta
'S gun a bhith ann ach, och, tiota
Dìreach air chleas a' phìobaire
Chall o ho ro ris an aon phort.

There's that same old sound again which wakes me and I feelhear again
and again and I've been on about all the time in greengrey lockdown –
the highlowloudhailhowl of the Highland cattle on the dawnhorizon
over there betweeneitherboth Ard Snaosaig and Baravaig, coming sud-
denly without knowing like that and only there for, och, a moment just
like the piper chall o ho ro with the sameone tune.

na h-ealachan air fad
air falbh madainn san Dùbhlachd
aig Loch Doire nan Gad

all the swans gone a morning in December at Loch Doire nan Gad

248

Am Foghar

Agus glasadh an t-sluaigh 's am foghar ann
A thàinig oirnn a chianaibh gun fhiosta
'S an reothadh teann a chuireas a' chrìoch
Air na cuileagan-beaga 's na gòbhlanan
Agus a' chlann air falbh
An dèidh nan làithean-saora
Cho geal ud mu dheireadh thall
Is a-bhos, tha mo dhùil
Ris na h-oidhcheannan cho fada
Gun tighinn air dubh dorcha.

With greengrey lockdown and autumn here that came upon us sudden-
ly without knowing just now and the nearsharp frost that endkills off
and will endkill off the wee Highland midgies and the little branchswal-
lows sharpnear and the little branchswallows and the familychildren
having gone away for fondall that after those last freeholidays so white-
bright at last over there and over here, my poor-creaturehope is for the
long nights so long in coming not to mention dead dark and blackbleak.

cailleach-bhreac is boiteag air uaigh
ann an Cille Mhoire madainn earraich
agus oiteag an t-sluaigh

*a heath spotted orchid and a worm on a grave in Kilmore a morning in spring
and a sudden gust of wind out of the calm*

An Obair Agam

Ged a bhiodh glasadh an t-sluaigh
'S a h-uile càil air lasachadh,
Na dhèidh sin 's na dhà dhèidh
Seach nach eil mi ullamh
Gus an obair agam a thoirt
Gu crìoch onorach is gu buil
Ged a b' ann gu tur gun bhuaidh,
Cumaidh mi orm air leth
Rithe 's aghaidh-choimheach
Mar a chaith mi bho thoiseach gnothaich
Ga cur orm agam fhathast
Gun a bhith ga tilgeil
Dhan t-sitig uile-gu-lèir
Is gam nochdadh fhèin ga rèir.

For all that greengrey lockdown and every lifestrengthdesirething's been eased, aye, for all that and allall thatthat as I'm not proneready to bring my work to a conclusion for all that it might not have no victoryimpact, I'll keep on keeping on with it at it on my tod and a shystrangeforeign facemask which I've wasteworn from the start on me still, not throwing it all away to the dunghill and nakedviewrevealing myself accordingly.

far an deach fear seachdain air ais
às an rathad aig Allt Rèidhe Ghlais,
dìtheanan ann am prais

where a man a week ago was killed at the road at the burn of Allt Rèidhe Ghlais, a knoll of daisymarigoldflowers in a bronze brass pot

Aiteal

A' dol seachad air a' chlachan
A bh' air a dhùnadh o chionn fhada
Ri linn glasadh an t-sluaigh
Sa Chille Mhòir Didòmhnaich
Is an t-Sultain a' tighinn gu ceann
Is na h-eòin a' dol nan tàmh
Is aiteal sèimh socair a' sèideadh,
Fairichidh mi bhuam gun fhiosta
Seirm is ceilear is thall ud
Anns a' bheinn gu h-àrd
Na daimh a' sìneadh
Air langanaich is bùirich.

Going past the stony village churchyard that was downclosed for a long time in greengrey lockdown in Kilmore on Sunday and September coming to a headend and the birds going off to quietrest and a gentle juniperflashbreeze swellblowing, I feelhear suddenly without knowing bellringsinging and hidewarbling and over there loudhigh on the head-hill the stags stretchstarting to roarlow down low and bellow below.

ann an soitheach-crèadha, lus a' choire
ri Taigh Màiri sìos air an t-slighe
gu cladh Chille Mhoire

in a clay container, coriander by Mairi's house down on the way to the cemetery in Kilmore

Gàirdeachas

A' falbh leam seachad
Eadar Sgoil na Cille Bige
'S an clachan sa Chille Mhòir
Car tràth Didòmhnaich
Is na làithean a' dol air ais
Is na h-eòin gun cheilear
Is am foghar a' tighinn gu ceann
Ann an glasadh an t-sluaigh,
Cha robh fios no for agam
Co dhiubh a bh' agam seirm
Agus còisir na cloinne
No 'n sluagh a' seinn thall ud
Is iad a' briseadh an tàimh
Mar nach do dh'fhairich duine
Bho chionn ùine nan cian
Ach co-dhiù no co-dheth,
'S ann a thog e mo chridhe
'S abair gun d'rinn mi gàirdeachas.

Going past eitherbetweenboth the school in Kilbeg and the stony village
churchyard in Kilmore a wee bit prayermealtime-early on Sunday and
the days going back and the birds not hidewarbling and autumn coming
to a headend, I had no idea if what I had was the bellringsinging and
choirbird-song of the clanchildren or folk singing over there burst-
breaking the peacequiet like not a manperson had feltheard for long ages
but, whatever, it lifted my spirits and I rejoiced.

às an tomada-tàmh,
mo chreach-s' a thàinig, fitheach
a' teàrnadh an Glaic nan Cnàmh

out of nowhere a raven after-birthdescending on the hollow in Glaic nan
Cnàmh

San Dàmhair

An dèidh gun do dh'fhalbh na smeuran
Agus na daimh mu dheireadh thall
A-nis agus am Mòd seachad
Agus a' chlann air ais aig an sgoil
Agus na taighean-samhraidh bàn,
Seall, air bàrr Chnoc an Fhùdair ud
Far an robh de chanach,
A' ghrian air cho fann
A' faoisgneadh is air cùl nan sgòth,
Seall, a' chiad chaithteachan no chraiteachan
Den t-sneachd' ùr air cho mìn
Mar spìontagan air feadh an àite
Ged nach maireadh ach aon oidhche
'S de dh'fhaoileagan air an Linne Shlèitich
Is de chorran mun mhol san Fhaoilinn
Agus an glasadh a' dol na ghealadh.

For all that the last besmearbrambles and beamstags have gone at last
over there now that the festival's over and the familychildren back at
school and the summer-homes vacant, showsee, over on the cream-
croptop of Cnoc an Fhùdair over there where all that bog-cotton was,
the sun ever so faintly bursting out and behind the clouds, showsee, the
first sprinkling of new snow however faint like maggotcurrantflakes all
over the place even if only for one night and all those white-wave-crest-
gulls in the Sound of Sleat and odd crescentherons and the like around
the shingle on the shore and the greygreen lockdawn whitebrightening.

anns an Fhaoilinn, dìreach
far an rachadh na gillean don tràigh-mhaorach,
slatan-mara 's feamainn chìreach

on the shore at Faoilinn, just where the gillielads used to go to the beach for
shellfishbait, the oar-weedsea-rods and channelled wrack

Aisling

Agus an là glan geal a' glasadh
Agus an t-sìde mharbh a' mùthadh,
Sheas mi gu h-àrd air Bealach Garbh
Shìos fo mo chois na chnoc-seallaidh
Gun duine nam ghaoith 's gun ghuth
'S chunna mi 'n Cuan Sgìth bhuam air fàire

'S e na chlàr-deighe 's na raon-dìle
'S na fhairge throm ag èirigh tìde mu seach
Agus thall san àird a tuath Cuan Uibhist
Agus nam aisling ann saothair mun tràigh
'S iomadh blàth mun mhachair agus bodha
'S mun t-slat-mhara caochladh ròn is dhòbhran

Far am biodh nan linn de chlann-daoine
'S bha 'n talamh-ìseal ud a' dol fon uisge
Mar Thìr fo Thuinn agus Tìr a' Gheallaidh
Shuas aig deas agus Eileanan an Àigh
'S mealbhain Thiriodh is na Hearadh Ìleach, tha fios,
A' nochdadh dìreach tiota no dhà 's a' falbh a-rithist

Anns a' ghrèin a' dol seachad is a' dol fodha
'S Ròcabarraigh sa cheann mu dheireadh a' tighinn ris
Is, mo lom, de sgrios mar a chuireadh air mhanadh
Leis na Gàidheil nan aimsir fhèin bho chionn fhada,
Mo chreach is mo lèir, an t-saoghail, gun tighinn
Air Tuvalu 's Palau 's Kiribati 's Grenada.

With whitebright daylight greengraylocking and the deadsultry weather
noveltykillchanging, I stood up on Bealach Garbh down underfoot as a
watch-hill with not a manperson windnear me or a bardtauntvoice and
I saw the Minch over there on the dawnhorizon like an ice-sheet and a
floodplain and a pregnantdeepheavy angryswellsea rising times about
and over in the farmpeoplecountrynorth the Little Minch and in my
dream there a birth-paintidal-island around the tideshore and many a
warmwhiteflower around the low-lyinglevelsandybeachmachairplain

254

and submerged brakerrock and around the pizzletangle dyingchange-
several fetterfrothseals and wet-placebeaverotters where there used to
be manpersonchildren in their generationtime and the lowlands were
going under water like Atlantis and the Promised Land up to the quick-
south from me and the Isles of the Blest and the creepingbent-grass
sand-dunes of Tiree and the Rhinns of Islay, it must be, nakedviewap-
pearing straightup for just a moment or two and disappearing again in
the sun going past and setting and Rockall appearing at last and all the
destruction incantationapparitionprophesied by the Gaels in their
weathereraseasontime long ago, not to come to mention Tuvulu and
Paulu and Kiribati and Grenada.

càil ach suathadh nan stuadh
mu Rubha Phàil ris an sgarthanaich
far an siùbhladh iad am bodach-ruadh

*not a lifesenseappearancelongingthing but the movement of the archwaves
around the point of Rubha Phàil in the twilightdusk where they used to
deathseekgo for codfish*

Seanchas

Ghabh mi seanchas anns a' Ghàidhlig
Mar nach do ghabh mi bho chionn fhada nan cian
Le dithis bhodach anns a' Chlachaig
An là roimhe 's an làn air toirt dheth
'S shiubhail sinn seachad air Sgeir nan Gillean
Is rinn sinn stad mu Chreag Dhonnchaidh
'S thriall sinn gu Dùn Mhic Mhàrtainn còmhla
Gus mu dheireadh thall an do sgar sinn

Agus mullach reothart nan eun air tighinn
Agus na muasgain a' cur thairis air an tràigh
'S de chaoran-caorainn air gach gnoban
Agus nuair a chaidh mi air ais an-diugh
Sa ghlasadh a' chiad char sa mhadainn,
Cha d' fhuair mi sgeul no lorg orra.

I had a sagatraditionconversation in Gaelic like I haven't for ages and ages with two oldtimers on the beach the other day with the fulltide ebbed away and we deathseekwalked past Sgeir nan Gillean and stopped at Creag Dhonnchaidh and deathcrossed over to Dùn Mhic Mhàrtainn door-frametogether till we parted at last and the spring tide was at its height and the razorfish abounding on the tideshore and the rowan-berries everyhillockskerrywhere and when I went back today in the greygreendawn first thing, there was neither tidings nor trace of them.

fead aig crithean agus crotach
aig àm breith nan uan ann am Monadh Meadhanach –
gunfhiost'àsa'cheannatuathrotach

a common ringed plover and a gibbous hunchback-curlew whistle at lambing time in the heathermoor at Monadh Meadhanach – suddenlyanortherlygale

Bodach na Nollaige

Ris a' ghlasadh nam shuidhe
Leis nach dèan mi cadal ann
Ris a' mhùchain-teine
'S na dèideagan is na loinnearain
Air an sgapadh fon chraoibh-bhrèige
Far an do dh'fhàg sinn tiodhlacan
De churranan 's de bhainne

'S mi chan ann air m' ais
Nam bhalach, air a chaochladh,
Nam Bhodach na Nollaige mi fhèin
A' feitheamh 's a' gabhail fadachd
Gus an tig Fionnlagh Fast ud
A-nuas na chàrn-slaodaidh
'S a' chlann aige ri chois.

In the greygreenlockdawn sat up as I can't sleep beside the half-extinguished fire and the toys and decoration scattered beneath the artificial tree where we've left presents of carrots and milk, I'm back, not as a boy, the deathchangeopposite, as Father Christmas myself watchwaiting and longing for Rudolph to arrive on his sled with the familychildren legbeside him.

air Gnoban nam Bodach a' siubhal nan saoidhean
is nan cudagan is nan gobagan leis a' chloinn
far an deach e fhèin o bha e na naoidhean

on the point at Gnoban nam Bodach deathwalklooking for saithe and pollock and dogfish with the familychildren where himself went ever since he was a bantlingbaby

257

A' Chiad Chur

B' e siud am fear beag na shuidhe
Mu-thràth gu h-ìseal nar fianais
Anns a' ghlasadh a' chiad char
Aig an uinneig a' sealltainn a-mach
Agus an sneachd' a nochd air Beinn Sgritheall
Eadar Là Cuimhneachaidh 's Là Buidheachais
Air nochdadh mu cheann an rathaid thall
Mar a' chiad chur am-bliadhna

'S an uair sin mar chlach às an adhar
Na solais a' priobadaich gun sgur
Agus carbad ud na gaineimh
Air tighinn an làthair gun fhiosta
'S e ri sgapadh air feadh an àite
'S ga sguabadh air falbh gu tur.

There was the wee man up and about already down there in our wit-
nesspresence in the greygreen lockdawn the first turnthing at the win-
dow showlooking out and the snow which nakedviewappeared on Ben
Screel eitherbothbetween Remembrance Day and Thanksgiving Day
having nakedviewappeared around the road-end over by as the first fall
this year and that hourtime then out of the blue the lights flashing all the
time and that spreader having alive present come suddenly without
knowing scatterspreading all over the place and sweeping it all away.

och, na bliadhnaichean a' dol tharam
's air Bruach Ruadh Cheann Locha bhuam,
na fèidh gu h-àrd ri faram

*och, the years going past and on the brae above Kinloch over there, the deer
highloud lowing*

Fàth

Fon chàrn air Beinn na Seamraig
Is air cabar na Beinne Brice leam fhìn
A' sealltainn a-null gu Loch Shùirn is Gleann Eilg
Là bog balbh ri glasadh an t-sluaigh
'S gu h-ìseal bhuam Coire Gasgain
Agus baile-bàn Leitir Fura
Far an robh Clann MhicAonghais is Clann Dhòmhnaill
Nan linn agus an sìol,
Chan e cà 'il an sneachda,
Mo chreach, a bha geal an-uiridh?
Fàil ill èileadh ho ro chall èileadh
Ach gun lorg air tarmachan an t-slèibhe
Gun tighinn air a' chapall-choille
Fàill ill èileadh as fàth mo thuiridh.

Beneath the cairn on Beinn na Seamraig and on the caberantlertop of Beinn Bhreac on my own showlooking over to Loch Hourn and Glenelg on a dumbcalm day in greygreen lockdown and down there Coire Gasgain and the whitecleared village of Leitir Fura where Clan MacInnes and Clan MacDonald and their seed-descendents were in their generationtime, it's not *où sont leis neiges d'antan?* but that there's no progenytrace of the ptarmigan or capercaillie that's the openvista-awareness reason for my death-songweeping.

tha 'n eilid anns an fhrìth
's Coille Morsaig a' fàs cho dlùth
's cho dubh ris a' bhìth

the hind is on the deer-forestmoor and the woods of Morsaig wildernessbecomg densenear and pitch black

Samhail

A' tathaich air ais mun bhothan
Seachad air Coill' a' Ghasgain
Agus Abhainn an Ùird na lighe
Far an robh na buachaillean rin linn
'S an doras-mòr air a ghlasadh
Agus bùird is tàirnean air na h-uinneagan
'S an sanas ann: *Cùm a-mach*
'S e a' tuiteam am broinn a chèile,
Dh'fhairich mi bhuam crònan
Is carachadh nam fiadh
An lùib nam fiùran 's nan gallan
Samhail taimhslich nam bodach.

Back hauntvisiting around the bothy past the woods of Gasgan and the Ord River in stagnantspate where the shepherdlads were in their generationtime and the windows nailed and boarded and a Keep Out whisperwarningsign there in it and all falling in, I feltheard over there the purldirgelull-lowing and movement of the deer beambowbendamong the straightscionsaplingstalks apparitionlike the sound of the oldspectreboys before they come to occupy a house.

fiadh na chlosach
ri taobh a' Bhealaich Ruaidh
ri taobh nam fianach-dosach

the carcase of a deer beside the way at Bealach Ruadh beside the tufted deergrass